마흔, 어쩌다 화가

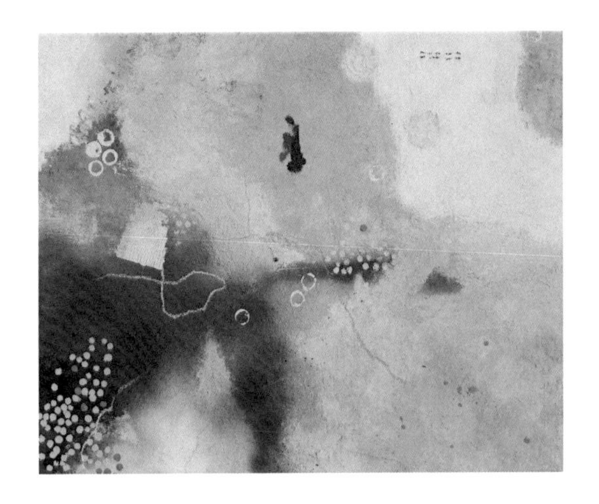

Dancing flower, 100×80cm, 판넬 위 흙과 아크릴, 2023, Flowjinny

마흔, 어쩌다 화가

발 행 | 2023년 12월 15일
저 자 | 플로우지니 (김진희)
펴낸이 | 김진희
펴낸곳 | 주식회사 부크크
출판사등록 | 2023.12.07
주 소 | 서울특별시 금천구 가산디지털1로 119 SK트윈타워 A동 305호
전 화 | 1670-8316
이메일 | info@bookk.co.kr

ISBN | 979-11-410-6011-4

www.bookk.co.kr

마흔,
어쩌다 화가

플로우지니 지음

프롤로그

2017년 봄, 서른 일곱. 두 아이의 엄마.
그 날 나는, 이게 어릴 적 내 꿈이었어, 라며 그림을 그리기 시작했다.

늦은 나이라고 생각했다. 하지만 뭐가 될 생각으로 시작한 건 아니었기에, 고르고 자시고 할 것도 없이 집 앞 상가 화실에 등록했다. 일주일에 한 번 수다 떨며 그림 그리는 그 두 시간이 좋았다. 시든 꽃에 물을 주는 시간이었달까. 어릴적 화가의 꿈을 접었던 내게, 그림은 취미 이상의 무언가였다.

누구든, 어른이 되고 돈을 벌기 시작하면 어릴 적 꿈꾸었던 것을 돌아보기 마련일 것이다. 그 꿈을 실행해 보는 것만으로도 이토록 기분 좋을 수 있다는 것이 신기했다.

어릴 적의 나는, 화가를 꿈꾸었다. 중학교 때 입시 미술을 그만 두었는데, 다 커서도 그 때를 떠올리는 것이 고통스러웠다. 너무 원하던 것을 한순간 잃었을 때의 상실감이 가슴 한편 크게 자리하고 있었다. 그래서인가 오히려 다시 시작하기 두려웠다. 이미 그만두고 너무 시간이 흘러버렸다는 사실이 서글펐다. 다시 시작할 수 있을 거라는 가능성을 열 수 있다는 생각조차 못하고 살았더랬다.

화실에 등록하고 보니, 엄마를 원망만 하고 있을 것이 아니라, 그냥 언제라도 시작할 수 있었던 것이었다. 어째서 나는 그걸 모르고 긴긴 시간을 지내 온걸까. 오랫동안 꿈꾸던 것은, 언제나 내 옆에 있었다.

이번 기회에, 내 깊은 곳에 묻어두고 보고 싶지 않았던 그 시간을 털어 날려버리고 싶었다. 주저하며 외면하던 내 안의 서러움을 꺼내어 털고 이제는 떠나보낼 수도 있을 것 같았다. 이 마음을 글로 쓰기 시작했다.

그 글이 책이 된다면 삽화도 내 그림이면 좋을 터였다. 이제 막 그림을 그리기 시작했는데 삽화까지 꿈꾸고 있었다. 그런 상상을 해보는 시간도 좋았다. 느릿느릿 화실에서 입시 미술풍 풍경화를 그리면서도, 저 먼 미래를 상상하며 웃음이 났다.

글 쓰는 속도에 맞추어 그림까지 넣은 책을 쓰고 싶었기에, 매일 밤 집에서 손바닥만 한 그림 한 점씩을 그리기 시작했다. 어쩌다 한 번씩 올리는 아이들 사진이 대부분이던 내 계정에 그림 사진이 끼어들기 시작했다. 몇 안 되는 이웃들이 눌러주는 하트에 힘이 솟았다. 점점 그림의 비율이 높아지다, 아이들 사진과 그림 사진의 비율이 비슷해졌다. 내 삶의 관심도는 급격히 그림으로 옮겨가고 있었다, 얼마 지나지 않아 내 계정에 아이들 사진보다 그림 사진 비율이 높아졌다. 온통 그림 사진으로 도배가 되어갈 쯤, 이제 그림 계정이 새로 필요하게 되었다는 것을 알았다. 다음 단계로 갈 차례였다.

우주는 내게 강력한 신호를 주었다. 한 군데도 아니고 동시에 세 군데서 수채화 수업 의뢰가 들어온 것이다. 나는 이 새로운 흐름이 '우주의 선물'임을 바로 알아챘다. 이제 그림을 그린 지 딱 1년이 되던 해였다. 나는 조금 용기를 내어, 그 기회를 잡았다. 그림을 가르치기 시작했다.

이 때 즈음, 레진이라는 재료를 알게 되었다. 수채화에 몰입한 지난 1년처럼, 나는 레진을 연구하기 시작했다. 외국 작가들의 작품들을 보면서 감탄하고 배우고 매일 밤 실험을 했다. 언젠가 크고 멋지게, 저런 작품들을 만들게 되길 기대했다. 이 재료가 너무 궁금했고 이렇게 하는 걸까? 저렇게 하면 될까를 고민하며 실험이 쌓여가다 보니 어쩌다 하나씩 마음에 쏙 드는 작품들이 생기기도 했다.

밤에 아이들을 재우고 방 한 켠 에서 작업을 하던 나는, 점점 보관하고 싶은 작품들이 많아지고 커지면서 작업실이 필요한 지경에 이르렀다.
때가 될 때마다 적당한 연결이 있었다. 나는 그것을 알아채고 감사히 그 기회들을 받아들이며 그 다음 스텝으로 옮겨갔다.

그림 그린 지 5년차가 되던 2021년 5월 첫 개인전을 시작으로 그 이듬해, 봇물 터지듯 전시를 하기 시작했다. 1년간 개인전과 초대전, 단체전, 아트페어 등 여러 전시 14회에 참여하였고 2023년이 끝나가는 현재, 전시 횟수를 더 이상 세지 않는다. 일 년 내내 전시가 있기 때문에 횟수를 세는 것이 무의미해졌다. 올해는 나를 전혀 모르는 사람들이 내 그림을 사기 시작한 뜻 깊은 해이기도 하다.

단 한 번의 전시가 너무 절실하던 때가 있었다. 작품이 집 가득 쌓였는데, 전시하는 법을 몰랐다. 그럴 때 물어볼 누군가가 있으면 얼마나 좋을까 생각했더랬다.

비전공자가 활발히 활동하는 시장이 된 만큼, 이런 여정을 알고 싶은 사람도 많지 않을까 조심스레 추측해본다. 그리하여, 이제 막 발을 내딛으려는 작가님들께 나의 경험담이 조금이나마 도움이 되기를 바래본다.

지금 당신이 느낀 것을 먼저 느낀 사람이 있었으며 나도, 당신도 경험을 겹겹이 쌓아 자신의 특별한 길을 만들어가고 있는 예술가라고, 같이 힘내자고 말하고 싶다.

CONTENT

프롤로그 4

제1장 그림의 시작

01 어린이의 세계 13
02 상실의 시간 17
03 워커 24
04 혼자 한 여행 30
05 인연 35
06 마음의 힘이 나오는 곳은 41
07 나의 첫 번째 수채화 수업 46
08 취향의 발견 50
09 내 그림인데요? 56
10 선물 59

제2장 두 번째 스텝

01 내맡기는 삶 65
02 타이밍 69
03 모든 시도의 무게 74
04 밑작업 80
05 동굴을 통과하는 시간 84
06 아이디어스 87

제3장 개인전

01 공간의 확장 93
02 개인전 97
03 두 번째 개인전 103
04 압축된 시간 107
05 AUGUST 112
06 부익부빈익빈 117
07 아트페어 120
08 롤러코스터 125
09 결자해지 130

에필로그 133

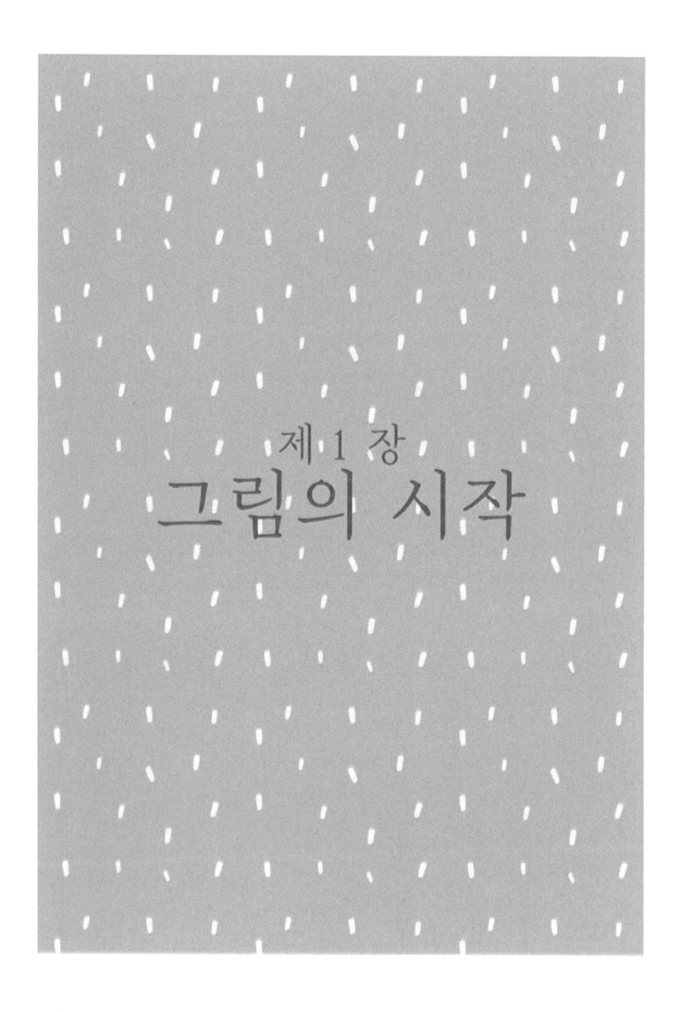

제 1 장
그림의 시작

제1화 어린이의 세계

같이 글을 쓰던 선생님이 사진 하나를 올려주셨다. 자신의 세 살 아이가 처음으로 네모를 그렸는데 거기에 자신이 바퀴를 달아 자동차 그림을 만들었다고 했다. 첫 네모라니! 엄마는 이렇게 선 하나에도 사진을 찍고 감격하는 존재다.

우리 엄마도 나를 그런 눈으로 보았을 것이다. 일곱 살이던 나는 하루 종일 책을 읽거나 그림을 그렸고 엄마는 그런 나를 미술학원에 데려갔다.

미술학원에 간 첫날이 기억난다. 내게는 나름 충격적인

날이었다. 쭈뼛쭈뼛 엄마 손을 잡고 들어간 학원에는 긴 머리의 예쁜 선생님 두 분이 계셨다. 엄마는 가고 거기에 덩그러니 남아 그림을 그려야 했는데 이 베테랑 선생님들이 번갈아가며 어머 어머, 너무 잘 그린다! 며 호들갑을 떠셨고 나는 혼이 쏙 빠져서 엄마가 없다는 것도 잊었다. 그런 대놓고 하는 칭찬을 듣는 건 처음이라, 나는 어쩔 줄 몰라하면서도 기분이 좋았다.
그림 그리는 것은 칭찬받는 일이고 기분 좋은 일이구나,
내게 그림은, 그런 것이었다.

-

스토리를 정하면 그림을 그리기가 한결 쉬워졌다. 어떤 나라인지 어떤 날씨인지 친구들과 무슨 놀이를 하고 있는지 설정한 후 그림을 그리면 스케치하기도, 색을 고르기도 쉬웠다.

언제든 꺼내어 쓸 수 있는 스토리는 책으로부터 시작되었다. 교육열에 활활 타던 엄마는 어릴 적부터 집에 책을 가득 사다놓고 하루종일 읽어 주셨다. 어른이 되어 아이를 키우고 살다보니, 아이에게 매일같이 몇 시간씩 책을 읽어준다는 것이 얼마나 대단한 일이었는지를 깨닫게 된다.
나는 책을 좋아했다. 엄마랑 책으로 길을 만들고 집을

짓고 성을 쌓다가 아무 곳에나 누워 책을 읽었다. 엄마는 신이 나서 거의 매주 주말마다 책을 사러 청계천에 갔다고 한다. 책이 너무 비싸, 헌책 값으로 새 책을 살 수 있는 서울로 가서 책을 사다 날랐다고 했다. 나는 일주일이면 그 세트를 다 읽어 치우고 또 읽고 또 읽었다. 책 속의 세상이 늘 궁금했고, 한 번 책을 읽기 시작하면 다른 세상으로 넘어가버려, 이 쪽 세상을 잊었다. 엄마 몰래 2층 침대에 올라가 밤새 책을 읽으면, 엄마는 내가 잠들었는지 확인하러 우리 방 문을 벌컥 열었다. 그러면 줄을 당겨 얼른 불을 끄고 자는 척 하다가 엄마가 돌아가면 다시 불을 켜고 책을 읽었다.

책은 내 집에 존재하는 수만 개의 세상이었고, 마음만 먹으면 언제든 내가 원하는 세상으로 옮겨갈 수 있었다. 어느 순간이 되자 무한한 세상을, 나도 만들 수 있었다. 내가 상상하는 모든 것을 글로 적기만 하면 새로운 세상이 창조되었다. 그 옆에 그림을 그려 넣으면 동화책이 되었다. 재미있는 일을 하는건데 어른들에게 칭찬을 받았다. 그게 기분 좋으면서도 의아했다. 이 드넓은 세상의 어떤 상상도 모두 허용되는데, 누구나 이 세상에 무한히 흩어진 것을 조합하기만 하면 되는데. 왜 그걸 쓰는 것만으로도 이렇게 칭찬을 하는걸까.

이 때를 돌아보면, 나는 개체라기보다 우주의 일부였

다. 무중력 상태에서 깃털처럼 날아다니다 손만 뻗으면 원하는 모든 것을 손에 넣을 수 있었다. 그것은 쟁취해 낸다는 개념과는 전혀 다른 것이었다. 쓰고 싶은 것을 쓰기만 하면, 그리고 싶은 것을 그리기만 하면, 세상은 내게 박수를 보냈다. 나에겐 평생을 꺼내도 남을 만큼 무한한 이야기가 있었다.
그러니, 글을 쓰고 그림 그리는 작가가 될 것을 의심치 않았다.

말도 없고 내성적이고 순종적인 일곱 살 아이의 머릿속에 이런 광활한 세계가 있었다. 자유의 세계.

제2화 상실의 시간

초등학교에 가서 원고지 쓰는 법을 배우고 나서는 한참씩 앉아서 그날 떠오르는 내용들을 원고지에 옮겼다. 숲속 어느 나라로 모험을 떠난 이야기를 쓰기 시작했다. 원고지는 금세 채워졌기에, 앉은 자리에서 몇 십장씩 모험 이야기를 쓰다가, 오늘은 여기까지, 하며 연필을 내려 놓았다. 나도 무슨 일이 일어날지 전혀 모르는 상태에서 연필을 들어, 어제의 이야기에 이어 정신없이 글을 쓰다 보면, 오늘의 이야기가 여기까지임을 직관적으로 알 수 있는 신호가 왔다. 그러면, 나는 그대로 연필을 놓고 다음날 하교를 기다렸다.

그저 지금 떠오르는 것을 미친 듯 받아 적는 느낌이었

다. 원고지가 수북이 쌓여 손의 두 마디를 넘어가는 두께가 되고 있었다. 어떻게 전개되다 어떻게 끝날지 아무 계획이 없었기에 조금 불안하다가도, 그시간에 연필을 들면 어떻게든 전개되어 간다는 것을 알았기에 그저 내맡기기로 하고 하루하루를 쌓았다. 쌓여가는 원고지를 보며 뿌듯했다. 이 이야기가 종결되고 나서야, 나도 처음부터 끝까지 읽어볼 생각이었다. 세상이 나를 어디로 데려갈지, 두근두근 설레는 마음으로 글을 썼다.

-

사람이 느끼는 마음은 사랑 또는 두려움 두 가지라는 말을 들은 적이 있다.
내가 학교에 들어갈 때쯤 태어난 셋째와 연이어 태어난 넷째.
엄마의 넘치던 사랑은 한순간 두려움으로 탈바꿈하였다. 겪으면서도 믿지 못할 만큼 급격한 변화였다.
아이 둘이 더해지자 엄마는 안 그래도 아끼던 돈을 더 옥더 쥐어짰다. 본인의 노후와 아이들의 학비를, 20년 앞서 걱정하고 계셨다. 세상 물정 모르고 온실 속에 자라던 나는, 무슨 일이 일어날지 상상도 못하고 있었다.
입학 즈음 아빠의 발령으로 이사 간 곳은 옹벽 위에 공고히 선 성과 같았다. 입주자가 아니면 친구라 해도, 입구 출입조차 허용되지 않았다. 미리 부모님께 이야기해서 입구 경비원에게 언질이 된 경우에만 가능했는데, 그 시절 친구 관계라는 것이 그렇게 예약제가 아니었다. 사회성도, 눈치도 없던 나는, 그 성 안에서 점점 고립되고 있었다.

스카이 대학 출신이 즐비한 대기업 관리자 사택. 서로의 숟가락 개수를 다 아는 사이, 그리고 엄청난 경쟁의 세계. 드라마 '스카이 캐슬'을 그저 재미로 볼 수 없었던 건, 흡사한 곳에서 생활하며 그 경쟁 속에 있어봤기 때문이다. 자녀의 등수는 부모의 자존심 대결이기도 했다. 우리 엄마도 질 수 없지. 나를 말로 세워 달리기를 시작했다. 나는 공부할 싹수가 보이는, 달리기 괜찮은 말이었다.

몇 세대 살지도 않는 사택에는 베이비붐 세대임을 증명하듯 80년생이 즐비했다. 다들 똑부러지는 친구들이었다. 나는 사회성이라고는 눈곱만큼도 없어서 그 사이에서 자기 주장도 못하고 찐따처럼 찌그러져 있다가 깍두기나 하고 있었다. 전교 1등하는 모지리.

성격도 좋고 리더십도 있는 사택 친구들은 다들 공부까지 잘하고 난리였다. 다들 올백으로 둥가둥가 다 같이 전교 1등이었기에 하나라도 틀리면 전교 등수가 주르륵 밀려났다. 그게 나만 아니면 되는 아찔한 세상.

사회성이 없다는 건 기본적으로 눈치도 없다는 거. 그 하나를 안틀리게 하려고 새벽까지 초등학교 1,2학년 아이를 붙들어놓고, 엄마는 끝도 없이 문제를 풀게 했다. 대답이 조금이라도 늦으면 머리로 주먹이 날아왔다. 엄마만큼 마음이 급하지 않은 나는 존재 자체로 엄마를 화나게 했다. 딴생각 하지 말고 답만 말하라고 했다. 그 말은, 잠시도 너 자신이어서는 안된다고, 엄마 말대로만 살라는 말이기도 했다. 깊이를 알 수 없는 무력감이 들었고, 무력감의 크기와 똑같은 크기의 분노가 억눌러진 채 차곡차곡 쌓여갔다.

그럴 때마다 더더욱 글을 쓰고 그림을 그렸다. 그 곳만이 나의 안식처였다. 학교에서 다녀와, 새로운 세상을 열고 그 곳으로 숨었다. 떠오르는 생각을 손이 못 따라갈까 봐, 나는 몇십분간 완전히 몰입한 상태로 원고지에 글을 휘날려 쓰고는 연필을 내려놓았다.

어느 날, 매일 그렇듯 학교에서 오자마자 글을 쓰려는데 매일 두던 자리에 쌓여있던 원고지가 없었다. 사라졌다. 사라져버렸다. 공부해야 할 시간에 글 쓰는 게 보기 싫었던걸까.
나의 세계를 나 없는 사이에 쓰레기통에 던져버린 엄마를 어떻게 존중할 수 있을까. 본인의 뜻대로가 아니면 싹둑 잘라버리는 무자비함에 진저리가 났다. 그렇대도, 내게 무슨 힘이 있나. 나는 아무 힘이 없었다. 엄마한테 한번 대들지도 못한 채로, 나의 글은 그렇게 잘린 채 종결되었다.

더 이상 책을 읽지 않았다.
더 이상 글을 쓰지 않았다.

나도 이제 엄마가 원하는 것을 주지 않을 참이었다.
공부하라고 글을 자르면 딱 하나, 당신이 원하는 공부를 하지 않겠다고 생각했다. 그냥 병신으로 살면 살았지, 당신을 기쁘게 하는 그 하나는 주지 않을 터였다. 세상에서 공부가 가장 중요한 사람에게, 공부 못하는 딸은 창피함을 느끼게 하는 대상일 뿐이었다. 나는 이제 부모님의 수치의 원천이었다.
공부가 하기 싫으면서도 공부를 못하는 내가 미웠다. 나는 나를 죽이고 싶었다. 나도 내가 수치스러웠지만 이 구멍을 나갈 길이 없었다.

다행히 내게는 미술이 남아 있었다. 공부는 못해도 그림으로는, 학교 대표를 맡아 상을 놓치지 않았다. 그런데 이제, 미술 말고 공부에 매진하라고 했다. 그놈의 공부.

표면적으로는 달라진 것이 없었다. 어제까지 다닌 미술

학원을 이제 다니지 않는 것 뿐. 학원 일정 하나 빠진 것이 뭐 그리 큰일이겠나. 하지만 내게 그것은 단순히 '학원'이 아니었다. 학교 끝나고 갈 도피처가 없어졌고 아무것도 아닌 내가 그래도 잘하는 게 하나는 있다는 마음의 탑이 무너졌다. 미술 전공을 할 수 없게 되었다는 것을 받아들여야 했고 미술 쪽으로 차곡차곡 쌓아 올린 줄이 싹둑 잘렸다. 엄마는 내 미래를 잘라버렸다.

그토록 좋아하던 글과 그림. 두 개의 문이 모두 닫히고, 나는 삶의 원동력을 모두 잃었다.
아무 의욕도 없는 영혼이, 몸속에 작게 쪼글어들어 겨우 숨을 붙이고 있었다.

그때 통곡했더라면 마음의 멍울이 좀 작아졌을까. 데굴데굴 구르며 발버둥을 치고 악을 쓰며 학원에 더 다니고 싶다고 했더라면.
어차피 달라질 것이 없음을 알고 있었기에, 목 밖으로 소리 내지 못했다. 엄마를 조금 설득해 미술 학원에 더 다녀볼 수는 없을까 생각조차 해보지 않았다. 엄마는 엄격했고 말이 나온 이상 끝난 거라는 걸 알고 있었다.

그 날 이후, 나는 목에 울음이 생겼다. 공부도 못하는 주제에 소리 내어 울기까지 할 수는 없어서, 목 밖으로 꺼내지지 않는 울음을 울었다. 소리 없이 눈물을 흘리면, 목 안에 울음주머니 같은 것이 진동했다. 꺼내지 않는다고 없는 것은 아니었다.

유포지 위 알콜잉크, 2018

제3화 워커

미술학원을 그만둔 이듬해, 중학교 2학년 때였다. 교실 뒤에 붙일 그림으로, 선생님은 내 것이 아닌 정아의 것을 골랐다. 정아의 도화지에는 구겨진 워커 신발 한쪽이 흐트러진 줄을 치렁치렁 늘어뜨린 채 서 있었다. 하아, 정아는 풍경을 끝내고 정물에 들어갔구나.

학원을 그만둔 지 1년도 되지 않았는데 내가 가장 잘하는 것이 누구에게 밀려나는 중이라는 걸 받아들여야 했던 순간, 내 안에 아슬아슬하던 선이 끊어졌다. 끝없는 절벽 아래로 떨어져 버린 것 같던, 가슴이 쿵 떨어지던 그날을 잊지 못한다. 이제 학교에서 그림을 가장 잘 그리는 사람은 내가 아니라는 것을, 절망하며 받아들인 날이었다.

지금에 와서 생각해보면, 그만둔 지 1년도 안되어 밀려날 실력이라면 과연 전공까지 하는 게 맞았던걸까. 그럼에도 그 시절의 나는 절망에 빠졌다. 전공한 선생님께 배워, 그 선생님의 그림 결에 최대한 가까이 가도록 연습한 후, 입시 시험을 보고 미술 대학을 가는 것이 유일한 길이라 믿었다.
그렇게 해서 미대에 가야만 그림 그리는 사람으로 살 수 있는 줄 알았다.

다분히 문과 체질인 내가 대학 입시에 실패하고 구르고 굴러 간 곳은 전문대 컴퓨터 공학과였다. 컴퓨터 전원을 누르는 것 말고는 아무것도 할 줄 모르는 사람이 무려 프로그래밍을 하는 과에 들어갔으니 검은 것은 화면이오. 하얀 것은 글씨로다 정도의 수준이었다. 요즘엔 이런 곳이 취업이 잘된다더라며 어른들이 원서를 써서 넣은 곳이었다. 설마 다 떨어지고 거길 가겠냐 했는데 거기만 붙었다. 하하하하하하하하.

완전 망한 줄 알았는데, 여기서 만난 사람들이 나를 인간으로 만들었다. 다 떨어지고 이 곳만 붙었던 것이 우주의 큰 선물이었음을, 지금은 안다.

여기서 만난 동아리 친구 집에 놀러 갔다가 우연히 친구가 전공하던 인테리어 책 한 권을 보게 되었다. 책에는 사용된 색상이 뭔지, 어떤 톤으로 색을 맞추면 안정감이 있는지에 대한 설명이 나와 있었다.
구도를 잡고 공간을 나누고 색을 입히는 과정을 보자, 갑자기 어린 시절 그림에 몰입하던 내가 떠올랐다.

드디어 내가 있을 곳을 찾았다는 것을 알았다.
자격증을 따기 위해 학원에 등록했다. 학원에서는 하루에 여섯 시간 이상 연필과 자를 들고 도면을 그렸다. 평면도와 입면도, 천정도, 외부 벽, 투시도까지. 그릴 것은 넘쳐났다. 앞뒤 가리지 않고 온갖 것을 그리고 색칠하며 1년을 보냈다. 관련 자격증을 연이어 몇 개 취득하고 인테리어 회사에 취업했다.

이 노가다 판이 나는 또 너무 좋았다. 캐드 설계보다 현장이 좋았다. 평소에 덜렁대고 빠뜨리는 게 일상인데 반해, 인테리어 현장에만 가면 1미리까지 꼼꼼하게 체크하는 사람으로 바뀌었다. 매 공정마다 현장에서 배우는 것이 많았고, 이런 과정이 다 재미있게만 느껴졌다. 밤에 나가야 하는 백화점이나 면세점 현장에 나갈 일도 많았다. 매일 잠도 못자고 현장에 나가는데도 신이 났다. 여하튼 나란 사람은 하고 싶은 일을 주체적으로 하는 것이 중요한 사람이었다.
인테리어 일을 하던 마지막 회사에서, 나는 사람에게 오만 정이 떨어지며 일을 그만두었다. 미련은 없었다. 내가 할 수 있는 한 최선을 다했기 때문에 아쉬움 없이 인테리어 일을 그만 두었다. 때가 오면 다시 할 수도 있지, 정도의 열린 결말로 두고, 다음 스텝으로 이동했다.

결혼을 하고 수학 과외를 시작했다. 학생들이 모여들었고 정신없이 바빴다. 매일같이 문제집을 쌓아놓고 풀었다. 주로 중학생을 가르쳤는데, 세상 무섭다는 중2들이 이렇게 예쁠 일! 벌써 중학생만 되어도 어른들과 이야기가 통할 나이다 보니, 나는 아이들을 친구처럼 대했다. 인간 대 인간으로 서로 존중하며 대하면, 아이들은 절대 빗나가지 않았다. 집나갔던 아이도 과외를 할 때에는 며칠 만에 집에 들어왔다가 다시 가출하는 수고를 감행해 주었다. 이 일도 참 좋았다. 학교 다닐 때 공부를 그렇게 못하던 내가, 어른이 되어 수학을 공부해보니 찌릿할 정도로 재미있는 과목이었다. 허허허.
밤낮으로 공부해가며 아이들을 가르친 지 어언 10년쯤 될 무렵 둘째가 태어났다. 육아와 수업을 병행하려니 수업 준비하느라 육아도 남의 손에 맡기고, 시험 기간이 와도 보강을 할 수 없는, 이도 저도 안 되는 상황이 되었다. 기약없는 경력 단절녀가 되었다.
기다리던 아이였는데도 출산 후 나는 철저히 소멸되고 있는 것 같았다. 내가 버는 돈이 나의 가치라고 생각했기 때문이었을 것이다. 버는 돈이 0이 되자 나의 가치도 0이 된 것 같았다. 그러자 느닷없이 남편에게 화가 났다. 이 시스템에도 화가 났다. 이 나라에도 화가 났다. 아무도 내 상황 따위 고려하지 않는 이 시점에서, 화를 낼 대상이 딱히 없다는 게 화가 나서, 눈에 보이는 남편에게 미친년처럼 짜증을 내곤 했다.

뭔가 해야 했다. 내가 살아 있음을 누군가에게 알려야 했다. 대상도 없이 아무데나 대고서라도, 여러부운, 저라는 사람이 있어요. 하고 뱅글뱅글 돌고 싶었다. 젖먹이를 두고 글쓰기를 배우러 나섰다. 어떻게든 소멸하는 나에게 생명력을 부여해야 했다. 책을 내서 내가 죽지 않고 살아있다는 것을 알리고 싶었다.

아이를 뒷전으로 하고 나는 나를 계속 후벼 팠다. 내가 대충 덮어놓고 안 보고 싶었던 내 안의 찌꺼기를 계속 꺼내어 살폈다. 얼마나 많은 게 있던지... 책 쓸 거리를 곰곰이 생각하다가 저 깊은 저장고에 있던 경험들이 떠오를 때마다 이불 킥을 하고 싶었다. 그것들을 다 꺼내어 한 권을 다 쓸 때쯤 조금은 단단해진 나에게 물었다.

진짜로 하고 싶은 게 뭐야?
이제 뭘 할 거야?

그러자 마음속에서 이런 음성이 들렸다.
'그림을 그려.'

돌고 돌아, 나는 다시 그림을 그리기로 했다.

제4화 혼자 한 여행

둘째를 낳고 혼자 여행을 간 적이 있다. 남편과 나는 서로에게 3박 4일 휴가를 주자는 이야기를 나누었다. 티켓만 봐도 웃음이 나왔다. 여행이라니. 그것도 혼자. 몇 달 뒤, 현지 친구들이 있는 필리핀으로 떠났고, 남편은 휴가를 내고 아이 둘을 돌보았다. 오랜만의 해외 여행이었다.

해방감에 휩싸여야 할 출발일, 좋기만 할 것 같았는데 불안함이 나를 압도했다. 그런 채로, 나는 공항으로 출발했다. 남편과 합의된 여행이었지만, 혹여나 시댁에서 알게 되면 뭐라고 하실지 걱정이 되었다. 공항에서라도 전화를 받으면 집으로 돌아가야 하는 게 아닐까, 빨리 떠났으면, 비행기를 타면 내 의지가 아니라도 휴대폰을 끌 수밖에 없겠지. 마닐라에서 전화를 받으면 어쩌지? 돌아가야 하나?
긴 시간을 기다려 두 번째 비행기에 몸을 싣고서야, 나는 이제 어찌할 수 없음을 나 스스로에게 확신시킬 수 있었다. 이제 누가 찾아도 돌아갈 수가 없어. 열두시간 거리니까.

자, 이제 도착했으니 모두 잊고 신나게 놀 차례였다. 친구의 레스토랑에 들러 식사를 한 후, 친구는 나를 다시 호텔에 데려다 주고 떠났다. 원하는 곳 어디라도 갈 수 있었지만, 두 아이 엄마이면서 거기에 혼자 놀러 와있다는 것이 왠지 죄책감이 들었다. 너무 신나면 안 될 것 같은 느낌. 호텔 침대에 누운 채로 몇시간동안 꼼짝도 하지 않았다. 여기까지 와서 호텔에 누워있으려면 뭐 하러 긴긴 시간을 들여 왔을까. 그럼에도 어디론가 가서 즐길 힘이 없었다. 일 끝난 다른 친구가 호텔로 찾아왔고, 친구는 예전에 함께 가던 좋은 레스토랑에서 멋진 식사를 대접해 주었다.
그리고 다시, 호텔에 가만히 누워 밤을 보내며 나의 죄책감의 무게를 가늠했다.

이틀째 아침, 친구 몇 명과 바다에 갔다.

우리는 휴대폰을 테이블 위에 던져놓고 바다로 들어갔다. 강한 햇살 아래 몸을 담그고 가만히 누웠다. 귀가 물에 잠겨 찰랑였다. 바닷가 레스토랑에서 하와이 풍의 음악이 흘러 나왔다. 비로소 내 마음에 자유가 조금 비집고 들어왔다.
다소 살집이 있는 친구가 비키니를 입고 당당히 커다란 배를 드러낸 채 서있었다. 그 모습이 자연스러운 그들 사이에서 한국인인 내가 다소 어색하게 괜찮은 척하고 있었다. 한국 사회에서 허용되지 않을 이 장면. 이런 저런 평을 하기보다 사람 그 자체를 아름답게 볼 수 있는 이 사회적 허용이 아름답게 느껴졌다.

셋째 날이 되어서야, 나는 잠시나마 자유를 느낄 수 있었다. 호텔 조식 뷔페에서, 아이들 먹을 것을 챙기며 내 입에 허겁지겁 넣는 밥이 아니라, 내가 좋아하는 메뉴를 급하지 않게 먹을 수 있는 그 여유를 만끽했다. 1분 1초를 다 느끼고 싶었다. 드디어, 나는 하루를 조금 자유롭게 느껴볼 수 있을 것 같았다. 하지만 이제 돌아갈 시간이었다.

이 여행을 하며, 나는 나의 새로운 면을 볼 수 있었다. 아무도 뭐라고 하는 사람이 없어도, 내가 나에게 죄책감을 주고 있다는 것. 의도하면 그 죄책감에서 조금은 삐져나올 수 있다는 것. 그걸 꺼내어 잘 살펴보고 스스로에게 죄책감이 아닌 자유를 줄 사람은 오직 나라는 것.

결혼을 하고 돈도 벌면서, 오전 시간에 그림을 다시 그려보고 싶었다.
가장 먼저, 시에서 운영하는 그림 수업에 참여했다. 이런 곳에는 장수생이 고인 물로 자리잡고 있다. 신입생은 저 뒷자리에 자리를 잡고 조용히 교수님을 기다리는 게 국룰이다. 그러나 교수님은 오시질 않는다. 수강생은 스무 명이 넘고, 두 시간 수업이니, 장수생들 그림을 봐주다 보면 눈인사 정도가 전부다. 교수님은 책 한 권을 추천해 주셨다. 돌부터 그리라고 했다.
세 달간 바위 다섯 개를 그리고, 수업을 종료했다. 바위그림을 그리면서 전혀 감도 오질 않았다. 어떻게 그리는 거더라.
저 예전에 그림 잘 그렸었거든요. 바위, 이런건 완전 껌이었거든요. 근데, 그 실력, 있었는데 없었습니다. 긴긴 시간 지나는 동안 재능은 조금도 남지 않고 사라져 버린 걸까. 마주하고 싶지 않은 현실을 마주하며, 씁쓸하게 수업을 마무리했다.

이런 식으로 몇 군데 그림 수업을 신청했다가 또 한두 달 만에 그만두었더랬다.
나는 왜 어려움을 극복하지 못한 걸까. 못 그려서? 실망해서?
그런 표면적 이유 아래로 깊이 들어가 보니, 죄책감이 있었다.

일을 그만두고 돈도 안 벌면서, 그냥 기분 좋자고 그림을 그리러 간단 말이야?
정작 남편은 아무 소리도 안하는데 남편 돈으로 내가 좋은 걸 한다는 것이 온당치 않다는 생각. 아이들 미술 학원비 말고 엄마 미술 학원비는 왠지 민망하고 염치없는 일 같아서, 조금만 이유가 생겨도 금방 등록을 포기하게 되고 말았더랬다.

적어도 나에겐, 취미를 시작할 힘은 죄책감을 넘어서는 데서 시작되었다.

제5화 인연

매번 일은 벌여놓고 찔끔 하다 마는 나. 책을 꼭 쓰고 싶다는 마음이 있었지만, 시작할 때까지도 뭘 써야 할지 스스로 모르고 있었다. 성공한 분야가 있는 것도 아닌 이 평범한 사람이 무슨 얘기로 A4 100페이지를 채울 수 있을까.

그래서 쓰기 시작한 글은 나의 가장 숨기고 싶은 부분에 대한 것이었다. 우아하고 똑 부러지고 싶은데 왜 이 불합리한 일을 따지기 시작하기도 전에 눈물부터 나는 걸까. 어쩌다 이렇게 된걸까. 자기 주장도 못하고 거절도 못하는 미적지근한 사람. 이건 필시 엄마가 날 찍어 누르며 키워서일거야.

서른이 훌쩍 넘어 엄마와 좋은 사이를 유지하면서도, 가끔 엄마가 꺼내는 '미안했다'는 말은 나를 아프게 후벼 팠다. 저 깊이, 마주하고 싶지 않은 찐내 나는 아픔이 진흙탕을 뒤집듯 마구 요동치며 올라올 때마다, 나는 며칠이고 남편이 출근한 후 이불을 뒤집어쓰고 소리 내어 울었다.
엄마가 미안했다고, 여러 번 사과할수록 이제와서? 이미 그 시기에 상처는 받을 대로 받았고 나는 하고 싶은 게 다 잘린 채 어른이 되었는데 저 사과가 무슨 소용이 있나 싶어, 더 처참한 마음이 되고 말았더랬다.
엄마가 사과하는 간격이 짧을수록 나는 많이 아팠다. 평생 이렇게 살 수는 없었다. 한 번은 이 아픔을 꺼내어 털어내고 싶었다. 너무 아프기에 묻어두었던 사건들을 음지에서 양지로 꺼내, 털어 날리고 싶었다.

<싫다고 말해도 괜찮아>책을 쓰기 시작했다. 놀랍게도, 이불킥 각의 쪽팔린 사건들을 꺼내어 쓰고 또 쓰며 그 뿌리를 찾아가다 보니, 그 뿌리는 엄마가 아닌 경우가 많았다. 엄마는 내가 아는 누구보다 똑똑하고 당당한 사람이었고, 엄마 역시 내가 당당한 사람이길 누구보다도 바라고 있었을 것이다.

나의 말투, 나의 자세, 나의 제스처, 나의 표정. 돌이켜 보니 그들로 하여금 부탁하기 좋도록 만들고 있었던 것은 나였다. 친절해야 한다는 관념이 '거절'이라는 퇴로도 스스로 틀어막고 있었다. 상냥하고 친절한 찐따였다. 하하하하. 서른 후반에서야 내가 나를 직시하게 되었을 때의 놀라움이란. 엄마가 아니었다니.

찌질함을 다 꺼내어 출판사 여든 곳에 투고를 했다. 내 찌질이 인생을 출판사에 마구 보낼 때, 이런 이야기를 내놓는 것이 민망하기도, 창피하기도 했다. 이런 글이 과연 책이 될까. 감사하게도 투고하자마자 여러 출판사에서 연락이 왔다. 그리고 결국 책이 되어 전국에 배포되었다.

책을 쓰는 동안 나의 어두운 부분을 꺼내어 직시하며, 나는 조금 달라졌다. 표면적으로는 몇 달 전의 나와 같았지만 내 안에서 나를 괴롭히던 찌꺼기들이 많이 정리되었다. 무의식적으로 하던 리액션이나 말의 패턴도 달라졌다. 자각하게 되면 모든 게 바뀐다는 것을 알았다.
스스로가 예전보다 단단해졌음을 느낄 수 있었다.

계약서를 쓰고 집에 오는 길에, 나는 집 앞 상가에 있는 화실에 조심스럽게 문을 열고 들어가 수업에 등록했다. 입시 미술 학원이었는데 성인 수업은 평일 오전에 한 번 있다고 했다.
이제, 죄책감을 좀 이겨볼 힘을 내어 보고자 했다. 고작 취미로 일주일에 한 번 갈 참이었지만, 무너지지 않겠다 결심하는 전장의 장수처럼, 나도 이제 그만두지 않고 일주일에 한 번을 스스로에게 허락하자고 단단히 다짐했다.

수채화 물감을 새 파렛트에 짜는 것부터 설레고 신났다. 붓에 물감을 묻혀 하나하나 종이에 칠해 보았다. 물감 색 이름마다 조금씩 다른 푸른색들이 아름다웠다. 그 중 깊은 푸른색을 띄는 인디고가 특히 좋았다. 아, 나는 이 많은 파란 색들 중 인디고를 좋아하네. 굉장한 걸 그리기도 전에, 그저 색을 찍어 스케치북 위에 슥 그어 보는 것만으로도 나를 조금 알게 된 느낌이었다.

하기 싫은 연필 데생은 건너뛰고 구와 원뿔, 직육면체 같은 것을 선생님이 가르쳐 주시는 대로 가만가만 색칠했다. 어휴, 잘 하고 싶은 마음으로 하자니, 동그라미 하나 그리는데도 어찌나 오래 걸리던지. 다른 사람이 뚝딱뚝딱 끝낼 만한 간단한 그림도, 한참씩 걸려 완성하곤 했다. 그렇대도 좋았다. 그냥 다 좋았다.
다년간의 입시 미술 노하우를 가진 선생님의 기초 수

업을 따라가다 보니, 색깔의 음영에 대해 대략적인 줄기를 잡을 수 있었다. 이런 방법이었구나, 어릴 적 그림 그리던 감이 조금 돌아온 걸까, 기대하는 마음으로 수업을 이어갔다.

선생님과 상의해 가며 쉬운 단계부터 사진을 골라 그림을 그리기 시작했다. 잘 그리고 싶었다. 선생님이 시범을 보여주시면 그걸 놓치지 않으려고 집중했다. 선생님의 붓터치의 결, 사용하는 색깔들을 잘 봐놓았다가 그대로 구현하려 노력했다. 놀랍게도, 첫 그림부터 선생님이 시범으로 보여주시는 그림과 거의 흡사하게 그릴 수 있었다. 어휴 세상에. 이럴 일이야? 나는 내 머리를 셀프로 쓰다듬으며, 아주 잘했다고 칭찬을 해댔다.

일주일에 한 번, 화실 가는 시간이 너무 기다려졌다. 긴긴 육아의 늪에서 탈출해 내가 좋아하고 잘하는 것을 하는 그 두 시간이 꿀 같았다. 누구에게나 이렇게 탈출구가 필요한건 아닐까. 일에 치이고 육아에 치이다, 자신이 하고싶던 취미를 갖게 된다면 이런 기분이 아닐까.
이 이야기들을 책으로 쓰고 싶었다.
나의 이야기를 매일 글로 쓰기 시작했고, 글쓰기 선생님께 보여드렸다. 글쓰기 선생님은, 그림에 관한 글이니, 이번 책에 본인의 그림을 책에 넣어보는 건 어떻겠냐고 제안하셨다. 그림을 막 그리기 시작했는데 삽화라니. 그래, 내가 그린 그림을 글 사이에 넣으면 좋을 것이다. 정말, 그렇게 되면 좋을 것이다. 하지만 그림 한 점이 완성되는 데에 한 두 달 걸리는 데다, 그 그림들은 삽화로는 쓰기에 전혀 적합하지 않은, 입시풍의 풍경과 정물들이었다. 갑자기 다른 풍의 그림을 그리기 시작하는 것이 불가능할뿐더러, 글이 쓰이는 속도보다 너무 느렸다.

조금 다른 그림을 그려볼까?
그냥 글을 써보려고 한 건데, 또 다른 흐름이 시작되었다.

제6화 마음의 힘이 나오는 곳은

가볍게 생각하고 들어간 집 앞 화실의 선생님은 미술을 전공하신 분이고 20년 넘는 입시 교육 경력을 갖고 계셨다. 숨은 고수처럼, 매해 예중, 예고 합격률이 높아, 저 먼 곳에서도 엄마들이 운전해서 아이를 데리고 다니는 것을 감당하는, 성지 같은 곳이었다.

성인이 되어 다녀본 몇몇 화실에서는, 그리다 보면 알게 된다며 일단 어떤 그림이라도 부딪혀보길 권했는데 그 모호함 속에 있다가 선생님을 만나 기초과정을 끝낸 것만으로 색 쓰는 감이 생긴 것이 놀라웠다. 선생님은 당연히 입을 뗄 필요도 없이 그림 고수였으므로 나는 그녀를 최대한 따라가고 싶었다.

나는 착하고 영리한 학생이었다. 선생님의 말씀을 잘 흡수하여 조금이라도 더 내 것으로 만들고 싶었다. 선생님이 내 수준에 맞는 사진 두세 가지를 제안해 주시면, 나는 그 중 하나를 골랐다. 그리고 선생님이 왼쪽 하나를 색칠하며 보여주는대로 오른쪽 열매를 색칠해 보았다. 선생님이 쓴 색과 최대한 비슷하게 조색하며 색깔을 익혔고, 선생님의 칭찬이 좋았다.

은혜는 어느 날 화실에 등장했다. 20대 초중반의 꽃다운 아가씨였다. 아니, 결혼을 했다고 했다. 그녀의 통통 튀는 성격은 잔잔한 화실에 없던 파동이 되었다.
은혜가 그리고 싶다고 가져온 첫 그림은 무민 캐릭터였다. 옆으로는 숲이 우거지고 무민 가족이 옹기종기 모여 있었다. 선생님은 기초 수준에서는 힘든 그림이라며 에둘러 난색을 표현하셨다. 작업 난이도를 떠나, '캐릭터 그림'을 꺼려하셨다. 그런데 은혜 또한 강적이었다. 끝끝내 어려워도 괜찮으니 이걸 하겠다고 우기는 것이었다. 그녀는 자신의 부모님께 선물할 거라며 신이 나 있었다. 그리고 결국, 그 그림을 그려 내고야 말았다.

나는 이 사태가 조금 걱정스러웠다. 배우고 싶은 것도 많고 해내고 싶은 것도 많은데 선생님을 거스르는 것이 도움이 되지 않을 텐데, 싶었다. 그러거나 말거나 은혜는 당당하게 두 번째 그릴 그림을 갖고 왔다. 이번엔 밤비였다. 우거진 숲 속의 디즈니 캐릭터 사슴, 밤비. 선생님과 실랑이할 시간을 줄이도록, 이번에는 스케치까지 끝내왔다. 선생님은 이번엔 조금 더 강하게 불편한 감정을 드러내셨다. 은혜는 원하는 것을 확실히 하고, 그것을 추진할 때 폭주기관차 같았다.

그나저나, 나처럼 아줌마도 아니고 20대 초반이면 한창 사회에 쫄아 있을 나이가 아닌가. 은혜의 똘기와 패기는 도대체 어디서 온 걸까. 어느 날 은혜와 이야기하다 알게 되었는데, 은혜는 철인 3종 경기를 완주했다고 했다. 회사를 다니며 밤마다 달리기를 하고 주말 내내 사이클 동호회에서 사이클을 연습했다고 했다.

마라톤 달리기를 이야기하는 그녀의 얼굴에 생기가 돌았다. 도대체 저걸 왜 하는가 하며 티브이에서나 보던 마라톤을, 그녀는 얼마나 재미있는 이벤트인지 설명하며, 한번 도전해 보라고 했다. 넌 미쳤어! 하면서 마라톤 일정을 검색하는 나. 그렇게 마라톤을 하기 시작했다.
그리고 알게 되었다.
은혜의 힘이 어디서 나왔는지를.
10킬로 마라톤을 하기 위해 매일 일정 시간 연습 달리기를 하다 보면 나를 알게 되었다. 불과 2분 구간부터 헐떡거리게 되고 멈추지 않고 뛰다 보면 10분쯤 뒤부터는 호흡에 안정이 찾아온다. 그러다가 또 고비가 오고 그 고비를 넘기는 날도, 못 넘기는 날도 있었다. 오롯이 혼자, 나의 컨디션에 집중한 채로 생각한다. 다음번에는 목표를 이렇게 쪼개봐야겠다던가, 다음번에는 이 구간에서 쉬지 말고 조금 더 뛰어보면 다를까, 라든가. 그 시도를 자꾸 쌓아간다. 내 몸을 알아간다는 것은 엄청난 일이었다. 한계에 맞닥뜨리고 넘어설 때만 알게 되는 것이 있었다. 아주 작은 한계를 매일 조금씩 넘으며 단단해지고, 내가 원하는 것이 조금씩 더 명확해져 갔다.

철인 3종경기를 완주하기 위해, 그녀는 얼마나 자신을 벼랑 끝까지 몰아갔을까. 숨이 턱 끝까지 찬 채로 자신의 한계를 끝없이 넘어 결국 결승선을 통과하기까지, 얼마나 많이, 자신을 알아갔을까.

은근한 무시와 조롱, 자신의 맘대로 움직여주지 않는다며 권위와 나이를 내세우는 어른에게, 은혜는 별 의미를 두지 않았다. 자신이 원하는 것이 무엇인지 확실히 알고 그것에 집중하는 자세. 그녀의 자신감은 거기서 나온 것이었다는 것을, 마라톤을 하고 나서 알았다.
그 후 1년 동안, 나는 다섯 번의 10킬로 마라톤을 완주했다.

아주 느린 속도일지라도 한 번도 걷지 않고 뛰는 것을 목표로 했고, 끝날 때마다 머리끝이 뾰족해지는 기쁨을 느꼈다.

내가 나를 안다는 것은, 내가 남에게 휘둘리지 않을 힘이 되었다. 나도 선생님 눈치를 보며 시키는 것을 잘하는데서 점차 벗어나, 내가 궁금한 것을 만들고 체험해보기 시작했다. 그토록 닮고 싶었던 전공자의 그림체와 다른, 나의 그림체가 생기기 시작했다.

최대한 주류에 가까워지고 싶던 나는, 조금 다른 노선을 선택했다.
그 선택이 마음에 들었다.

제7화 나의 첫 번째 수채화 수업

화실에 가지 않는 날도 그림을 그려보고 싶어, 수채화 책을 잔뜩 샀다.
선생님이 시범을 보이는 것을 따라 그리는 식으로 진행하고 있었기 때문에, 선생님 대신 시범을 보여줄 또 다른 선생님이 필요했다.
여러 책들 중에서 김소라 작가님의 <나의 첫 번째 수채화 수업>이라는 책으로 독학을 했다. 간단한 도안들이면서 전체 샷과 확대샷이 보기 좋게 담겨 있어, 초보자가 따라 그리기 수월한 책이었다.
첫 그림은 장미 꽃잎 하나였다. 손톱만한 꽃잎 하나에도 여러 색이 쓰였다. 똑같은 꽃잎 여러 개를 반복해 그리다 보니 점점 꽃잎 그리기에 익숙해져 갔다. 손바닥만 한 그림 한 장으로도 성취감이 있었다. 이 한 권을 다 따라 그릴 때쯤, 내 그림은 좀 늘어 있을까?

화실에 다닌다는걸 들은 혜영 언니는 빳빳하고 두꺼운, 커다란 종이 한 장을 둘둘 말아 선물로 주었다. 본인은 이제 수채화 말고 유화를 그리고 있으니 필요 없다고 했다. 내 손에 들려준 이 수채화용 종이는, 나중에 알았는데, 한 롤에 수십만 원을 호가하는 아르쉬지였다. 어떻게 써야할지 몰라 창고에 넣어두었다가, 혼자 그림을 그리기 시작하면서 귀퉁이부터 조금씩 잘라 쓰기 시작했다.

이 때 즈음 라파엘 붓도 사보았다. 새로운 종이와 새로운 붓에 적응하는 데 시간이 걸렸다. 이 붓을 처음 들었을 때, 힘없이 펑퍼짐한 이 붓이 왜 유명한가, 하며 익숙지 않아 애를 먹었더랬다. 하지만 곧 이 붓의 매력에 푹 빠지고 말았다. 물기를 많이 덜어내도 넓은 부위를 칠하는 동안 색이 갈라지지 않고 한참을 버텨 주었다. 이렇게 넓은 면을 수월하게 칠하다가 붓을 살짝 들면, 아주 미세한 선까지 그릴 수 있는, 신기한 붓이었다.

아르쉬지는 물감과 물을 마법처럼 흡수하여 쭉 퍼져

나갔다. 적당한 곳까지만 퍼지도록 물 조절을 하는 데까지 여러번 연습이 필요했다. 이 종이가 마법의 종이구만. 그림은 장비발이다. 뭘 그려놔도 다 깊이 있는 그림으로 만들어지는 느낌. 이 때부터, 나는 아르쉬지 마니아가 되어 황목, 중목, 세목을 다 사다가 실험을 시작했다. 같은 종이라도 몇 그램짜리인지 두께에 따라, 눌러놓은 압축에 따라 표현이 달라지는 것을 보는 게 좋았다. 유명한 영국, 이탈리아, 프랑스 물감 등 처음 보는 물감들을 사서, 그림을 그렸다. 조금씩 다른 색감과 발색을 보는 것도 좋았다.

혼자 책을 보고 매일 작은 것을 그리는 것만으로도 그림에 빠르게 익숙해져 갔다. 책을 따라 그리기 시작하고 한 달도 안 되어, 과정을 보지 않고 도안만 보아도, 혼자서 다 그리고 색칠할 수 있게 되었다. 다른 사람이 못 느끼는 사이, 나는 매일의 나의 성장을 스스로 느꼈다.

이제, 책을 덮고 내가 그리고 싶은 것을 찾기 시작했다.

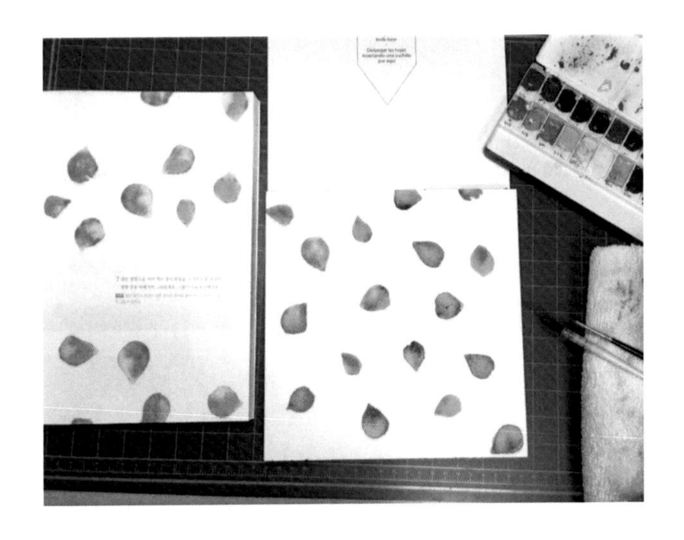

제8화 취향의 발견

스물여덟, 결혼을 앞두고 엄마가 혼수를 하나씩 고르기 시작했다. 결혼식이 끝나고 신혼집에 들어가는 날, 엄마가 구입한 혼수를 하나씩 받았다. 장롱이 들어오고 냉장고가 들어왔다. 세탁기와 티브이, 이불도 들어왔다. 그날에야 엄마가 뭘 샀는지 알 수 있었다. 엄마가 선택한 것들은 대부분 좋았다. 나였으면 그런 가격에 그 정도 퀄리티의 제품을 찾아내지 못했을 것이다. 엄마가 알아서 샀고 나는 감사하게 받았다. 엄마 돈이니까 엄마의 구매력 안에서 엄마가 사줄 만한 것을 사는 것이었다.

결혼한 지 몇 년 되던 해 어느 날이었다. 엄마가 말했다. "그날, 네가 참 이상하더라고. 안 그러던 애가 어떤 옷을 고르더니 사달라고 조르는 거야. 그날, 그 옷들을 사서 들려 보내고 집으로 가는 버스 안에서, 눈물이 나더라고." 엄마가 말한 그날은 대학교 2학년 때였다. 나는 그날을 가장 기뻤던 하루로 기억하고 있었다. 몸에 맞기만 하면 되는 옷 말고 마네킹에 걸린 예쁜 옷을 사본 것은 처음이었다. 초록색 마 재질로 된 윗옷과 롱치마였다. 어떻게 그 가게에 갔는지 모르겠다. 아마도 내가 너무 예쁘다고 하니 엄마가 들어가 보자고 했던가.

스물이 넘어 처음으로 내가 원하는 스타일의 옷을 사 준 그날을, 엄마는 십 년간 상처로 기억하고 있었다. 어려운 형편에 어떻게 엄마 생각은 눈곱만큼도 안 하고 저렇게 이기적일 수 있는가, 하며.

그날의 기뻤던 기억이 마구 일그러졌다. 그러고 나서 알았다. 모든 선택이 '삭제'된 채 살았다는 것을. 유일하게 '선택'한 날, 엄마에게 비수를 꽂았다는 것을. 내가 쓸 혼수가 뭔지, 내가 하나도 알지 못한 채 결혼한 것도 같은 맥락이었다는 것을. 그런 생활이 익숙해서, 이상하다고 생각조차 못한 채 서른이 넘었다.

어릴 적 인생 대부분, 나에게는 선택권이 없었다. 아빠는 대기업에 다니고 있었고 엄마는 주기적으로 집을,

땅을 샀다고 했다. 배울 만큼 배워 엘리트 그룹에 속한 사람과 죽어라 아껴야하는 생활 사이의 괴리감이 너무 컸다. 은행 빚을 갚아야 한다고 했다. 집이 몇 채가 된들, 삶은 거지같았다. 따뜻한 물을 틀고 샤워기로 샤워를 하면 안 되었으며 엄마가 나를 데리고 옷집에 간 적도 없었다. 내가 '선택'하면 안 되었다. 옷걸이에 걸린 옷을 사줄 생각이 없으니까.
'좋은 것을 선택'하는 것은, '엄마 속도 모르고 비싼 것을 원하는 나쁜 짓'과 같은 뜻이었다. 모든 욕구를 삭제하고 하라는 대로 하는 것이 편했다. 쇼윈도에 걸린 옷을 보면 갖고 싶을까 봐, 예뻐 보이는 것에 의식적으로 눈길을 주지 않았다. 친구들이 입는, 유행하는 브랜드 옷은, 내가 가질 수 있는 것이 아니었다. 친구들과 모여서 맛있는 것을 먹는 것은, 쓸데없는 돈을 쓰는 일이었다. 그런 욕구 자체가 있으면 너무 괴로울 것을 알았기에, 욕구를 스스로 삭제했다.

결혼하고 남편과 살면서 '가격'말고 '당신의 취향'에 맞춰 옷을 사라는 말을 처음 들었다. 그 말에 짐짓 놀랐다. 소비의 크기가 죄책감의 크기였던 나는, 남편의 말에 약간 애린 감각을 느꼈다.

학습된 것은 본능처럼 내 안에서 굳어졌다. 누구를 만나도 선택권을 양보했다. 네가 먹고 싶은 거 먹자. 난 아무거나 괜찮아. 네가 가고 싶은 곳으로 가자. 난 어디라도 괜찮아. 고르는 게 세상에서 가장 힘든 일이었다. 누가 선택하면 나도 그렇게 할게, 하는 쪽이 편했다.

–

옐로는 그냥 옐로가 아니다. 레몬옐로, 라이트 옐로, 네이플스 옐로, 퍼머넌트 옐로, 딥 옐로……. 이들 중 어떤 노란색을 고를지 생각한다. 이게 좋을까? 붓에 물감을 묻혀 종이에 찍어 본다. 오렌지 색을 살짝 섞어본다.

손바닥만 한 그림 하나를 그릴 때에도, 심지어 은행잎 하나를 그릴 때에도, 수십 가지를 결정한다. 모든 것은 오롯이 나의 선택으로 이루어지고 그 잎 하나는 그 선택들의 결정체이다. 어떤 붓에 얼만큼의 물을 섞어 어떤 농도로 그려낼지, 어디서부터 약간의 연두를 섞어갈지, 그림자는 어떻데 할 건지, 잎맥까지 그릴건지, 숨도 쉬지 않고 집중해 잎 하나를 그려간다. 그림을 그릴 때, 나는 없어지고 은행잎 그 자체가 된다.

몇 점의 그림을 그린 후 A4보다 조금 큰 B4사이즈의 아르쉬지 패드를 샀다. 이 정도의 크기면 나한테는 도전이었다. 여기에 꽃을 그리고 싶었다. 내가 그릴 수 있는 수준의 꽃이 뭘까. 장미는 겹이 많아서 힘들고 작고 꽃잎이 많은 꽃도 힘들 것 같았다. 그렇게 선택한 것이 튤립이었다. 튤립이라면 그릴 수 있지 않을까.

핀터레스트 앱에 들어가 튤립을 찾았다. 튤립 밭에 흐드러지게 핀 튤립, 아래에서 본 튤립, 부케로 만들어진 튤립, 한 송이의 튤립, 병에 꽂힌 튤립, 살짝 열린 튤립…….

온갖 종류의 튤립 수천 장 중에서 내가 그릴 수 있을법한 사진을 추리기 시작했다. 꽃송이가 너무 많거나 적지 않은 것으로, 사선의 각도에서 찍힌 튤립을 100장 가까이 휴대폰에 저장했다. 이 중 어떤 것을 그려야 할까. 며칠간 사진을 모은 후 사진첩을 열었다. 비슷한 구도의 튤립 100여 장이 한 화면에 짝 떴다. 그 화면을 보는 순간 왈칵 눈물이 났다.

나에게도 취향이 있었다니.

네가 좋아하는 게 뭐냐는 물음에 황망해지던 마음. 그 깊은 상처에 새 살이 차오르는 것 같았다. 낯선 감각이었다. 그림이 잃어버린 나를 찾아주고 있었다.
그 후로 뭔가, 바뀌고 있었다.
걷다가 등과 어깨가 펴지는 것을 느꼈다.

베네치아, B4, 아르쉬지 위 수채, 2018

제9화 내 그림인데요?

그림을 그리기 시작하면서, 눈에 보이는 예쁜 것들을 찍어 두는 버릇이 생겼다. 언젠가 다 그림으로 그리고 싶었다. 실력이 늘면 나도 이런 그림에 도전해 봐야지, 하며 인스타그램의 예쁜 그림들을 부지런히 캡처했다. 인스타그램은 그림 그리는 사람에게는 천국이었다.

캡처한 그림들이 내 휴대폰을 가득 채우고 있던 어느 날, 도전 작품을 하나 골랐다. 유리병에 안개꽃과 목화가 꽂혀 있는 아름다운 그림이었다. 초짜에게 이 그림은 스케치부터 쉽지 않아 보였다. 유리는 이렇게 표현하는 거구나... 유리의 두께는 이런 식으로 그리면 되는

구나. 하며 그림을 따라 그리다 보니 꽤나 그럴듯하게 완성되었다. 원작과 거의 구분할 수 없을 정도였다.
세상에, 내가 이걸 따라 그릴 수 있다니. 진짜 많이 성장했고만, 짜식!
스스로를 기특해하며 이 예쁜 그림을 인스타에 올렸다. 어우, 내 지인들이 이 그림을 보고 예쁘다고 난리가 났다.

"이거 내 그림인데요?"
며칠 지나지 않아 dm(다이렉트 메세지)으로 연락이 왔다. 내 그림이 캡쳐되어 있었고, 그 그림의 원작자라고 했다. 메세지 속 어투에는 분노가 묻어 있었다. 지인이 캡쳐해서 자신에게 보내 주었다고 했다.

앗. 인스타그램 세계에, 아니 그림의 세계에 어떤 법칙이 있는 모양이었다. 그냥 예쁜걸 따라 그렸을 뿐인데, 무슨 의도가 없었지만, 그래, 생각해보면 그림이라는 건 원작자가 있는 작품이다. 그걸 똑같이 베끼고는 신이 나서 동네방네 내가 이렇게 예쁜걸 잘 베꼈다고 자랑을 했던 것이다.
너무 놀란 마음에 심장이 곤두박질치는 느낌이었고, 수치심에 얼굴이 벌게졌다.
반성문을 쓰는 학생처럼, 다시는 이런 일이 없을 것이며 저는 그림 초보일 뿐이라고, 노여움을 푸시라고 메

시지로 싹싹 빌었다(고 하는 편이 맞을 것이다.) 저자세로 벌벌 기는 것을 보고, 작가님은 화가 누그러졌는지, 보통 이런 경우에는 원작자를 태그 한다고 했다. 누구의 그림을 베껴 그린 건지 언급이 필요하다며 다음부터 조심해 달라고 말씀하셨다.

그 일이 있은 후, 나는 내 인스타그램 피드에 있던 '따라 그린 그림'들을 모두 삭제했다. 이렇게 똑같이 잘 따라 그린 것을 자랑스러워하던 마음이 수치스러웠다. 이런 것도 모르던 생초보인 내가 한심했다.

다시는 남의 그림을 보고 따라 그리지 않으리라 다짐했다.
이제, 그림이 아닌, 사진을 보고 그려야지. 그 사진이 그림으로 바뀌는 과정에서 내가 묻어나도록 해야지.
온전히 나의 것을 찾을 시간이었다.

제10화 선물

친하게 지내는 지휘자 선생님은 늘, 그림이 그림으로 남아 있다는 것이 부럽다고 말씀하셨다. 음악은 오랜 연습 끝에 공연장에서 연주되며 사라져버린다고. 음악 또한 누군가의 가슴에 깊이 남을 테지만, 손에 쥘 수는 없음을 그렇게 표현하셨을 것이다.
그림을 그리며 성취감을 느낄 수 있었던 이유는, 행위가 끝나고 나서 한 장의 작품으로 남았기 때문이었다. 그림들이 차곡차곡 쌓여 가는 것을 보며, 내가 하는 노력들을 오롯이 손에 쥐고 있음을 실감했다.

아이들을 재우려 누우면 고꾸라지듯 가장 먼저 잠드는

건 나였다. 아이들 이불을 덮어주러 뒤척이다 눈이 저절로 뜨이는 건, 늘 새벽 한두 시쯤이었다. 고요함이 내려앉은 밤, 살며시 일어나, 건너편 방으로 가 문을 꼭 닫은 후 깜깜함 속 딸깍, 불을 켰다. 질끈 감은 눈 사이로 갑자기 쏟아져 들어오는 빛을 몇 초쯤 견딘 후 눈을 뜨면, 이제 니의 우주가 시작될 시간이었다.

그림을 그릴 때 가장 시간이 많이 드는 부분이 뭘 그릴지 고를 때다. 세상의 모든 것들이 그림이 될 수 있을 것이다. 그 중 뭘 그리는 게 좋을까. 너무 많은 선택지가 있을 때, 오히려 선택은 쉽지 않다.
그럴 때, 주위의 사람들을 떠올리면 선택이 수월해졌다. 내가 좋아하는 사람들이 좋아할만한 것을 곰곰이 생각하는 시간이 좋았다. 아직 짧은 실력이라서, 그릴 수 있는 것은 한정되었다. 같은 사물이라도, 각도에 따라 전혀 달라지는 모양을 고려하며 하루 종일 사진을 찾아 몇백장을 캡쳐해 놓았다가, 그림을 그릴 때면 적당한 것을 골랐다.
그림을 선물할 수 있음에 그리기 전부터 신이 나면서 그 크기만큼 겁도 났다. 내가 잘 할 수 있을까. 선물을 준다면, 내가 줄 수 있는 것 중 가장 좋은 것을 주고 싶었다.

새벽시간, 그림을 그리기 전, 경건한 마음으로 샤워를

했다. 잠에서 막 깬 비몽사몽의 상태가 아닌, 몸과 마음이 가장 깨끗한 상태에서 그림을 그리고 싶었다. 샤워하는 동안, 내가 그릴 것들을 머릿속에서 정리했다. 따뜻한 커피를 한 잔 타서, 서재방 책상 한 켠에서 그림을 그리기 시작했다.

마음을 모아 붓을 들 때면, 온 마음이 붓 끝에 가 앉았다. 시간의 흐름을 잊고, 나는 종이 위 내 손에만 집중했다. 한 손에는 붓을, 다른 손에는 휴지를 들고 한올한올 물을 찍어내며 붓질을 했다. 내가 없어지고 종이 위 붓과 종이만 살아있는 시간이었다. 마침내 손바닥만한 그림 하나가 완성되면, 그제야 나는 고개를 들어 내 눈 앞의 창으로 시선을 옮겼다. 서너 시간이 흐르고 해가 뜨고 있었다.
이 작은 그림 한 장에 그 사람을 생각한 내 마음이 고스란히 담겨 있었다. 그 사람을 생각하고, 그 사람이 좋아할만한 건 무엇일지 고민하는 시간을 지나, 그릴 물건이나 풍경을 생각하고 그 대상의 그림 각도를 찾고 밤새 집중해 그 한 장면을 그리는 것은, 쉽게 쓱 완성할 수 있는 것은 아니었다.

조금도, 1그람도, 생색내는 마음으로 그리지 않았다.
내가 이렇게 노력했으니 알아달라는 마음이 아닌 순수한 의도로 그림을 그렸다. 이렇게 그려져 건네어진 그림들을, 받는 사람들은 기뻐해 주었다. 그 모습이 거꾸로 나의 어떤 곳을 건드렸다. 선물이라는 건 받는 사람만큼이나 주는 사람의 기쁨을 위한 장치가 아닐까.

매일같이 그림을 그리고 그 과정들이 인스타그램에 고스란히 남았다.
경험치가 쌓이며 내가 그릴 수 있는 범위가 점점 넓어지고 있었다. 내가 그리고 싶은 것이 무엇인지를, 스스로 또렷하게 알게 되었다.

차곡차곡 그림 그리는 밤이 쌓이고 실험하는 마음으로 그린 그림이 쌓이는 사이, 그림체가 생기고 있었다. 이렇게 완성된 그림들은 화실에서 배우는 그림과는 전혀 다른 방향으로 전개되어 갔다. 1미리도 안 되는 세필붓으로 한올한올 긋다시피 하며 음영을 넣어 그린 디테일한 일러스트풍의 그림들. 나는 내 그림이 좋았다.

이때쯤, 새로운 고민이 시작되고 있었다. 주위의 친한 사람들이 '안녕'같은 인사로 '나도 하나 그려줘'라 말하기 시작한 것이다. 인사치레였을 것이다. 문제는 나였다. 언제 한번 밥 먹자는 인사 같았을 그 말 한마디 한마디가 쌓이며, 급격히 피로해져 버렸다. 좋은 마음으로 시작한 그림 선물이었는데, 이제 '나도 한 장' 그려달라는 이들이 줄을 서있었다. A에게만 주고 B에게 주지 않으면 안 될 것 같은 마음에, 그려야 할 그림들이 숙제처럼 어깨 위에 올라 앉았다. 이런 마음으로 빼앗기듯 그림을 그려주고 싶지는 않았다.

피곤한 줄 모르고 매일같이 그림 그리던 밤이, 숙제하는 신세가 되자 그만 없어져 버리고 싶었다.
다음 스텝으로 옮겨가야 할 때가 오고 있었다.

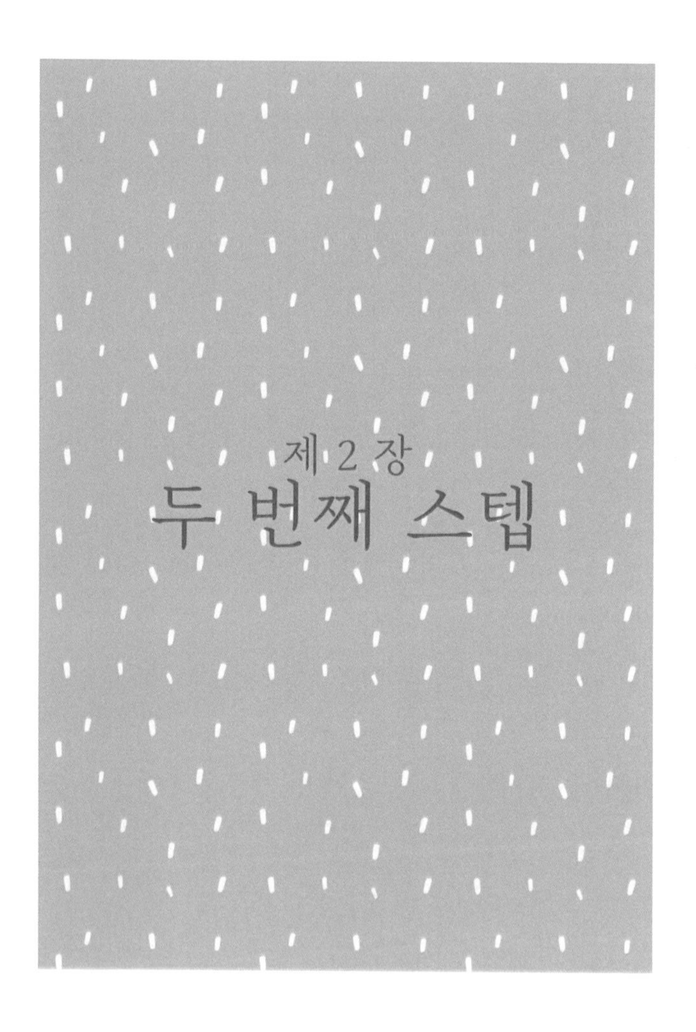

제 2 장
두 번째 스텝

제1화 내맡기는 삶

누구는 다 내려놓으면 다 얻는다고 했고, 누구는 끌어당김의 법칙으로 다 얻는다고 했다. 이 양쪽 끝의 말이 둘 다 진리라면 이 두 문장은 어떻게 연결되어 있을까. 어쩌면 같은 말인걸까.

답을 찾고 싶었던 시기, 마이클 싱어의 <될 일은 된다> 책을 추천받아 읽었다. 정말 놀라운 책이었다. 내려놓으라는 것은 포기나 무력함을 뜻하지 않는다고 했다. 인생이 이끄는 대로 저항하지 말고 따라가 보라는 이 내맡기기 실험을, 한 사람의 실제 삶으로 보여준다.

어쩌면 더욱 적극적으로, 나의 에고 말고 세상이 안내하는 길을 걸어보라는 뜻이었다.

'나도 한 장만 그려줘' 부탁이 쏟아지듯 들어오며 다른 흐름이 필요하다고 생각할 때쯤, 친구로부터 수채화 원데이 수업을 해줄 수 있냐는 부탁을 받았다.
'누가 누굴 가르쳐?'
마음이 지껄였다.
하긴, 아직 화실에 발은 걸쳐둔 상태였고 이제 수채화를 시작한 지 1년이 되었을 뿐이다. 전공자도 아니고 이름이 알려진 사람도 아니었다. 그런 내가 수채화를 돈 받고 가르치는 게 가능한가? 사회의 통념이 머릿속을 비집고 들어와 비죽거렸다.
친구의 요청에 긍정도 부정도 하지 않은 채 기도했다.

'이게 우주의 신호라면 좀 더 확실한 신호를 주세요..'

신기하게도 이 수업을 의뢰받은 지 일주일도 안 되어, 전혀 다른 경로로 두 군데서 수업 의뢰 연락이 왔다. 초짜인데다 수채화 수업을 해본 적도 없는 나에게 배우려는 이유가 뭔지 물었다.
"우리는 전공자한테 배우고 싶은 게 아니야. 오히려 우리 같은 일반인이 어떻게 그림을 잘 그리게 되었는지가 궁금해. 우리는 친절하게 그림을 안내해 줄 사람이 필요한 거거든."
전공자가 아닌 내가 필요한 이유를 듣자 안도감이 들었다.

다른 지역까지 이동하는 시간을 따지자면 계산이 안 맞는 수업이었지만, 그보다 앞선 것은 '우주가 내게 확실한 길을 보여주고 있다'는 것이었다.

용감하게도, 모든 수업을 다 수락했다.
전날 밤을 새우며 샘플을 만들었다. 재료를 한 아름 들고 가 수채화 물감의 번짐을 이용하는 법을 알려 드렸다. 내가 가져갈 수 있는 최상의 재료를 내놓았고, 오시는 분들은 감사하게도 진지하게 수업에 임해 주시고 행복해하셨다.
두 개의 수업이 성공적으로 끝났다.

마지막 수업을 위해 막 출발을 하려는데 아이가 아프기 시작했다. 세 살배기 아이가 아플 때, 엄마에게는 선택의 여지가 없다. 엄마의 아킬레스건이다.

글을 쓰고 그림을 그리는, 보통의 삶에서 벗어나고자 했던 날을 거치며 알게 된 것이 있다. 새로운 날을 맞이할 때면, 내가 가장 두려워하는 것이 건드려진다. 이렇게까지 하는데도 너, 계속 이 길 갈 거야? 우주가 묻는다. 원래대로 살아, 그게 가장 편할걸?
2,3년 전의 나라면 '그럼 그렇지, 내가 무슨 부귀영화를 보겠다고 이렇게까지...' 하며 수업을 포기했을 것이다. 하지만 이 시험을 뚫고 나가야만 다음 단계로 갈 수 있다는 것을 알고 있었다. 해. 내. 고. 야. 말겠다는 결심을 했다. 나는 기필코 이 난관을 넘어 다음 세계로 옮겨갈 준비가 되어 있었다.
우는 아이를 어린이집에 밀어 넣고, 마음이 착잡해졌다. 그리고, 수업 장소로 출발했다.

글 쓰며 만난 사람들이, 응원차 수업에 참여해 주었다. 그 공간의 호스트와, 그분의 친구들도 오셔서 수채화 수업을 들어주셨다. 그날 오셨던 분들이 수업을 좋아해 주셨고, 그 수업은 정규반이 되었다. 그 후로 한참 동안, 나는 매주, 편도 한 시간 넘는 거리의 그 공간에서 수채화 수업을 했다.

온당한 수업료를 받고 그림을 가르치기 시작하자, 쉽게 하던 '나도 한 장만' 부탁이 없어졌다. 내 수채화가 취미에서 직업으로 전환되는 순간이었다.
다음 단계에 들어왔음을 알았다.

제2화 타이밍

타이밍이 가장 중요한 곳이 주차장이 아닐까. 빨라서도 안되고 늦어서도 안된다. 내가 지나가자마자 빠지는 차가 있어 부랴부랴 한바퀴 돌아 다시 그 자리에 온들, 그 자리는 이미 남의 차지다.
사실 이런 일은 살면서 수도 없이 겪게 된다. 너무 빨라서도 안되고 너무 늦어서도 안된다. 딱 맞는 타이밍에 딱 맞는 인연을 만나야, 우리는 어떤 일을 완성시킬 수 있다.

수채화로 그린 이탈리아의 건물이 담긴 풍경은, 화실에

다니며 그린 마지막 그림이었다.
돈을 내고 수강생으로서 화실에 다니고 있었고, 선생님은 선생님 자리에서 내 그림에 조언을 하시는 것이 당연했다. 마지막 작품을 그리던 중 선생님이 내 그림에 붓을 대던 순간, 이제 우리가 헤어져야 할 때라는 것을 알았다.

더 이상 '이제 완성인걸까요?'하고 선생님께 물어볼 필요 없이, 내가 내 그림을 완결하는 것에 익숙해져 있었다. 내가 더 잘그려서가 아니라, 내 그림이 오롯이 나의 결정들로 이루어진 결정체이길 바래서였다.
작가란, 자신이 원하는 것을 알고 작품에 대한 책임을 오롯이 본인이 갖고 있는 사람을 일컫는다고, 나는 생각한다. 1년 사이, 내게 많은 변화가 있었다. 시작과 끝을 내가 정하는 것을 원했다.

사람들은 내게, 어떻게 레진을 시작하게 되었냐고 묻는다.
그러니까 말이다. 어제까지 수채화에 완전히 미쳐있었는데.

인스타그램에 그림을 계속 올리다 보니, 그림 작가들의 페이지가 무작위로 추천되곤 했다. 전 세계 사람들의 그림을 가만히 앉아서 이렇게 만날 수 있다니, 축복받은 세상이다. 그러다 보게 된 작품이 있었다. 하늘하늘 나풀나풀한 물감의 흐름은 나를 완전히 흔들어 놓았다. 아니, 어떻게 표현해야 할지 모르겠다. 휴대폰을 두 손으로 붙든 채 정신이 몽롱해지며 가슴이 쿵쾅쿵쾅 뛰는 것을 느꼈다.

재료가 뭔지, 이걸 뭐라고 부르는지 몰랐다. 하지만 나는 확실히 알았다. 내가 이 것을 하게 될 것이라는 것을, 언젠가 이런 작품을 크게 만들고 싶었다.

이 그림 아래 붙은 해시태그 #를 유심히 보았다. 그리고 찾은 글자, #RESIN.
이게 재료인가 보다, 하며 무작정 레진을 검색하기 시작했다. 한국에서는 이런 작품을 만드는 작가가 한 명도 검색되지 않았다. 인스타그램과 유튜브 채널을 뒤지다가 이 재료의 브랜드 하나를 알 수 있었다. 이렇게 멋진 작품을 만드는 작가가 쓰고 있는 재료의 상표. 이 작은 단서 하나를 얻기 위해 며칠 밤낮으로 수십 개, 수백 개의 외국 영상을 봤더랬다. 제발 어떤 단서라도 나와주길 얼마나 기도하며 찾아 헤맸던가. 보통의 아티스트들이 꼭꼭 숨기는 자신의 기술과 재료를 나누어주는 몇몇 아티스트들에게, 이 먼 곳에서 절이라도 하고 싶었다.

신기하게도, 네이버 검색으로 내가 본 상표의 제품이 나왔다. 가슴이 뛰었다.

같이 화실에 다니던 친구 '은혜'와 만났을 때, 이 작품을 보여주었다.
"나, 이거 해보려고."
"언니, 이게 뭐예요?"
"이거, 레진이라는 재료래. 한국에도 이 브랜드 제품을 살 수 있는 곳이 있더라고. 봐봐, 바로 이거야."

은혜는 내가 보여준 사진을 보고 잠시 말이 없었다. 그리고 말했다.
"언니, 지금 소름 돋았어요. 이거 수입하는 사람, 가까운 친구 남편이에요. 친구가 몇 번이나 와서 이 제품으로 작품 좀 만들어 보라고 전화가 왔었어요. 제 관심분야가 아니라서 알았다고 해놓고 차일피일 미루는 중이었어요."

"내일 가자."
듣고 미룰 이유가 없었다. 우리는 다음날 바로 한 시간 넘는 거리의 레진 수입 회사로 쫓아갔다. 부랴부랴 찾아간 그 회사에서, 레진의 사용법과 주의사항, 특성에 대해 설명을 들었다. 레진과 함께 사용할 수 있는 재료들에 대해서도 설명을 들었다.

내가 본 위의 사진은 <알콜 잉크>라는 재료로 만들어진 것이라고 했다. 레진은 그 위에 투명하게 코팅을 한 용도로 쓰였다는 것이다. 이곳에서 또 새로운 단서를 얻다니. 하늘에 감사하다고 마구 외치고 싶었다.

이 절묘한 타이밍을 어떻게 설명할 수 있을까. 우주의 선물이라고밖에 설명할 수 없을 것 같다. 두 달만 빨리 이 제품을 알았어도 오히려 수입 전이라서 검색이 안 되어 구입을 못했을 것이다. 바로 얼마 전, 그 친구가 화실에 등록하며 친하게 지냈고, 하필 그날 은혜에게 이 제품 사진을 보여줬고, 은혜의 친구인 수입회사 친구가 거꾸로 은혜에게 와주길 요청하는 중이었다.
이 모든 일 중 단 하나라도 어긋났다면, 레진 아티스트로서 살 수 있었을까. 끼워 맞추라고 해도 힘들 그 일이, 모든 시간을 맞추어 내게 왔다. 운명, 같은 단어가 아니고서 이걸 어떻게 설명할 수 있을까.

2018년, 내 그림 인생에 새로운 세계가 열렸다.

제3화 모든 시도의 무게

비싼 레진을 막상 사 오니, 뚜껑을 열기가 겁이 났다. 레진과 하드너를 어떤 비율로 섞는지 듣긴 했지만, 과연 그게 잘 될지, 용기는 어떤 것을 쓸지, 레진을 저을 때 뭘 써야 하는지, 토치에 가스는 어떻게 주입하는지, 주입하다가 펑 터지는 건 아닌지, 유포지는 어디서 사는지, 종이는 판넬에 어떻게 붙이는지, 그 판넬은 어디서 사는지 모든 것이 미궁 속이었다. 어떤 재료를 쓰는 건지 수백 개의 영상을 보며 정보를 하나씩 찾았다.

외국에서 흔히 쓰이는 재료들은, 한국에 없는 것이 많았다. 레진 시장이 활성화되지 않아 외국처럼 그 재료를 쓰는 사람이 없으니 판매하는 곳도 찾기가 여간 힘든 것이 아니었다. 이름을 뭘로 검색해야 할지도 몰라 온갖 이름으로 검색을 하다가 아마존 사이트로, 중국 사이트로 내가 필요한 것을 찾아다녔다. 몇 달에 걸쳐 뿔뿔이 흩어진 구매 목록을 모았다. 구입처만 한 곳에 모아놓아도 좋겠다 싶어, 언젠가 레진 재료를 모조리 모아놓는 사이트를 하나 만들어야겠다고 생각했다.

레진을 구입하고 시작도 못하고 있으면서도 이런 생각으로 가득차 있었다. 언젠가 퀄리티 높은, 큰 작업을 하는 작가가 되리라. 사온 지 한 달 만에 레진을 조심스레 열었다. 시작하는 데까지 꽤 오랜 시간이 걸렸다. 기왕이면 가장 좋은 재료로 가장 멋있는 것을 만들고 싶었다.
여러 두께의 종이, 판넬, 타일, 잉크 등등의 재료를, 돈이 생기는 대로 사 날랐다. 입에 들어가는 것, 입는 것, 사람 만나며 인심 쓰던 것은 모두 중단했다. 안 입고 안 먹어도 행복했다.

_

유퀴즈 프로그램에 나온 곽재식 작가는, 카이스트를 2년반만에 졸업한 수재라고 소개되었다. 한 때 연구원이었는데 지금은 화학회사에 다니며 한국의 괴물 기록을 찾아다니는 작가라고 했다. '공부가 재미있나요?'라는 질문에 재미있는게 왕왕 있죠, 하며 신이 나서 이야기를 시작하는 출연자와, 양 옆의 어리둥절한 엠씨들의 표정.

그 출연자는, 영화 보는 것을 굉장히 좋아해서 영어 공부를 시작했고, 괴물 기록의 옛 기록들을 찾다보니, 한자로 남겨진 기록들이 있어, 한자 공부를 했다고 했다. 궁금하니까!
괴물은 그렇다 치고 수학은요? 수학도 재미있나요? 하고 사회자가 묻는다.
그 분은 반짝반짝한 눈으로 말했다. 여기서 저기 보이는 빌딩까지의 거리만 알고 있을 때 저 빌딩의 높이는 얼마일까? 그럴 때 삼각함수를 알면 그 높이를 알 수가 있어요. (굳이? 라는 눈빛에) '궁금할 수 있잖아요, 신기하잖아요!'
아래 자막이 달린다. '신기해요, 당신이.'

삼각함수를 배워서 일상에서 적용해보며 신기해하는 그를, 시험 점수를 위해 공부하는 사람들이 이길 수 있을까. 더 많이 배워서 어제보다 오늘 영화를 더 재미있게 볼 수 있어 행복한 사람을, 시험용 영어공부 하는 친구들이 이길 수 있을까.
궁금해하는 사람을 이길 수는 없을 것이다. 무언가 궁금해한다는 것은, 누가 시켜서 할 수 있는 영역이 아니기 때문이다.

나에게 궁금한 영역은 레진과 잉크였다. 누우나 서나 궁금해서 참을 수가 없었다. 레진은 보통 유포지라는 코팅된 종이 위에 올린다. 비닐에 떨어지면? 도화지에는? A4지에는? 아르쉬지에는? 타일에는? 색깔 있는 타일에는? 나무 위에는? 바니쉬 위에는? 레진 위에 또 레진은?
시도 해볼만한 것들은 넘쳤다. 궁금한 것은 끝이 없었다. 그래서 밤마다 일어나 작업방 불을 켰다.
그것은 일의 영역이 아니었다. 무한하고 순수한 호기심으로 온갖 방법으로 시도해 보는 것에 기쁨을 느꼈다. 레진이 굳으려면 24시간의 시간이 걸렸으므로, 작업 후에 먼지가 앉지 않도록 보양을 해놓고 내일 이걸 열었을 때 어떻게 되었을까 두근두근해하며 결과를 기다렸다. 그리고 온갖 결과를 보며, 이렇게 하면 안되고 이렇게 하면 되네, 하는 데이터를 차곡차곡 쌓아갔다.

어느 날, 친한 친구가 우리 집까지 먼 걸음을 해주었다. 사진으로만 보여주던 작품들을 친구에게 직접 보여줄 수 있어 설레었다. 작업물들은 쌓이고 쌓여 벽에 몇 겹으로 기대어져 있었고 선반마다, 벽마다 빼곡하게 들어차있었다.

방에 들어서며 친구가 말했다.
"이렇게 실패작이 많다니!"

그랬다. 그러고 보니 겹겹이 쌓인 작품들 중 실패작이 가득했다. 인스타그램에 올리는 예쁜 작품은 수십 개의 실패작 사이에 어쩌다 나오는 결과물이었다. 인스타만 보고는 알 수 없는 세계를 보자, 친구는 갑자기 모든 걸 깨달아버린 탄성처럼 나지막한 문장을 내뱉은 것이었다.
너의 재능에 놀라고 늘 감탄만 했다고, 어쩌면 저렇게 만드는 것마다 예쁠 수 있는지 감탄의 대상이기만 했다고 했다. 그렇지만 실은, 이렇게 노력이 있었구나, 이제 결과물에 납득이 되네, 하고 말하는 것이었다.

세상에 내놓을 수 없는 것들을 '실패작'이라고 단 한 번도 생각지 않고 있었더랬다. 나에게는 모든 결과물이 성공작이었다. 뭐든 만들다 보면 '이렇게 하면 성공하는구나'와 '이렇게 하면 실패하는구나'가 똑같은 무게의 데이터가 된다. 성공하는 법만큼이나 실패를 피해가는 법도 중요하기 때문이다. 그러니, 실패작이 많다는 것은 자랑스러운 일이었다.
친구의 말에 나는 이렇게 많은 시도를 해온 내가 기특해지며 코끝이 찡했다.
데이터는 그 후로도 계속 쌓이고 있었다.

Apple, 판넬 위 혼합재료, 2018

제4화 밑작업

밤새도록 잉크 작업만 하고 싶었다.
밤새도록 그림만 그리고 싶었다.

하지만, 그림만 덜렁 그려 놓을 수는 없는 일이다. 그림 종이 하나를 펄럭이며 팔아보려 한들, 값어치가 없다. 그 그림에 맞게 종이를 다듬어 액자에 넣고 조명 아래 걸어, 작품을 값어치 있게 만드는 것도 작가의 몫이다.

잉크 한 방울 위에 알콜 한 방울을 떨어뜨리면, 결정이 모두 깨지는 듯한 모양으로 잉크가 퍼져 나간다. 그 모습을 보고 있노라면, 우주의 빅뱅이나 별의 탄생을 보는 듯 신비로웠다. 따뜻한 바람의 방향대로 잉크의 결이 생기며 마르면, 그 결이 마치 한복 천처럼 하늘하늘 아름다웠다. 두 번 세 번 수정하다 보면 이 작품은 탁한 색깔로 변하며 투명함을 잃고 만다. 잉크는 단 한 번의 작업으로 완성되어야 한다. 작품으로서 가치가 있는 그림이 되려면, 수십장을 만들어 그 중 하나, 쓸 만한 것을 골라낼 수 있었다.

타일은 위에 잉크 작업을 하기 좋은 재료이다. 종이와 달리, 알콜을 묻혀 쓱쓱 닦아내면 흔적도 없이 사라진다. 잘못된 것은 얼마든 고칠 수 있었다. 하지만 누가, 이 아름다운 타일 한 장을 구입할 것인가. 어디에 쓸모가 있단 말인가. 상품성을 부여하는 것도 작가의 몫이다.

자, 이제 타일에 레진 작업을 한다. 레진으로 코팅하는 것은 타일을 반짝이게 하며 아름다움을 배가시킨다. 레진 작업을 하면 뒤에 물방울같이 맺힌 채 딱딱하게 굳은 레진을 처리해야 한다. 펜치로 굳은 물방울들을 뜯어내고 사포로 뒷면을 정리한 후, 코르크를 붙인다. 코르크는 타일 크기에 맞춰 자른 후 부스러기가 나오지 않도록 잘 털어 두었다가 실리콘과 본드를 사용해 붙인 후 무거운 것으로 눌러 놓는다.
이 앞뒤 작업에 꽤나 많은 시간이 소요되었다.

코르크를 자르고 모서리 갈아내는 일을 몇 시간씩 할 때마다 시간이 아까웠다. 어찌보면 그림을 그리는 시간보다 많은 시간을 이런 하찮은 일에 쏟아야 온전한 작품 한 점을 완성할 수 있는 것인데, 이 필연적인 일을 어떻게든 피하고 싶은 마음이 드는 것이었다.

그러다, 이게 인생과 같다는 생각이 들었다.
그림만 그리고 살 수 없듯, 하고 싶은 것만 하고 살 수가 없다. 어쩌면 허드렛일 같은 7의 일을, 다른 사람에게 작품으로 보이는 3의 앞뒤로 계속 함께 해야, 모든 일에 가치가 부여되는 것이 아닐까.
그림을 그리다가 밥을 하러 집에 간다. 작업실에서 밤을 새우다가도 집에 달려가 시간 맞춰 아이를 깨우고 등교시킨다. 엄마로서 살자니 종종 작업의 맥이 끊긴다.
어떤 분이 물었다. 결혼을 안 했으면 어땠을 것 같냐고. 자유롭게 작품 활동을 실컷 하지 않았겠냐고. 인정한다. 나는 결혼에 맞는 사람이 아니다, 이렇게 내 멋대로 내가 원하는 걸 다 하면서 살아야 직성이 풀리면서 돈벌이도 못하고 있으니, 혼자 사는 것이 여럿 고생시키지 않는 제일 좋은 방법이었을 것 같다.

같은 맥락으로, 결혼하지 않았다면 그림을 그릴 수 있었을까. 인테리어 회사를 다니면서 아직도 혼자였을거다. A직업에서 B직업으로 바꿀 때는 그 사이에 공간이 필요하다. 배우는 동안 돈과 시간이 투입되고 내 입에 밥도 먹여주면서 보채지 않고 기다려줄 사람이 있을 때만 가능하다. 당장 내 코가 석자이고 먹고사는데 바쁘면 다른 일을 할 여유란 없었을 것이다. 그런데 지금의 내가 인테리어 디자이너를 거쳐 수학과외 선생님, 에세이작가, 화가로 살고 있다. 그 사이마다, 남편이 덤덤하게 공간이 되어 주었다. 남편이 나를 키우고 있다.

모든 결과물 3 뒤에는 7이 더 있었다. 주위의 도움과 균형 맞추기를 위한 눈물의 시간이 있었다. 그게 성취와 한 세트라는 것을 안다. 그러는 사이 아이들도 많이 자랐다. 어쩌면 좋은 결과 3을 만들기 위한 밑작업 7이 아니라 일상 7의 무게가 기준이 되어 결과물 3이라는 인생 가치도 무게를 갖는다는 걸, 점점 알아가고 있었다.

제5화 동굴을 통과하는 시간

"아니 그래서... 화가가 아니잖아요."
"저 화가예요."
내가 눈을 동그랗게 뜨고 말했다.
"아니, 전공을 안 했다면서요. 그런데 어떻게......"
어느 날 우리 집에 오랜만에 오신 손님 한 분이 거실 벽에 서있는 빈 캔버스들을 보며 혼란스럽다는 듯 오른손 손바닥으로 눈과 이마 언저리를 비벼댔다.

내게 글쓰기를 가르쳐준 선생님은 글을 쓴 사람이 작가가 아니고 글을 쓰는 사람이 작가라고 하셨다. 책을 쓴 경력이 없더라도 지금 쓰고 있다면 그것이 작가라는 말을 깊이 새기며, 글을 계속 쓰는 사람이 되어야겠다고 생각했더랬다. 매일 그리고 있으니 나는 나를 화가로 소개할 수 있었다.

매일 온갖 실험이 진행되고 있었고, 그러는 중 알게 된 내용들로 성공작 비율이 많아지고 있었다. 전시가 잡힌 것도 아니고 누군가에게 작품을 팔 마켓이 있는 것도 아니었다. 그런데도 내일 납품하는 사람처럼, 바로 다음 주 전시를 시작하는 사람처럼, 나는 몇 해동안 바쁜 마음으로 매일 밤샘 작업을 하고 있었다. 순수한 궁금함으로 시작된 이 실험들로 많은 데이터가 쌓였고 기술적으로도 많이 늘었다.

그럼에도 처음 만나는 사람들에게는, 나를 소개할 길이 없었다.
어떤 일 하세요? 하고 묻는 사람에게, 첫 전시를 하기 전까지의 몇 년간, 매일 연습하고 만들고 버리는 이 과정을 어떤 말로도 설명할 수가 없었다. 나조차 알지 못했다. 이 생활이 어떻게 연결될지. 긴긴 터널 속에서 실낱같은 빛도 보이지 않았다. 이 생활이 앞으로 몇 년쯤 남은건지, 끝이 있긴 한건지, 어떤 결과점에 거의 다다랐는지 전혀 알지 못했다.

그 속을 뚜벅뚜벅 걷는 것 말고는 할 수 있는 일이 없었다. 그저, 앞으로 앞으로 내딛으며 작품을 만들었다.

Yellow flower, 27.3×19.0cm, 판넬 위 레진혼합, 2018

제6화 아이디어스

캔버스에 작품을 만드는 것만큼 소품을 만드는 것도 재미있었다. 이 과정들은 유튜부로, 인스타그램으로 찍어 올리고 있었다. 그러던 어느날, <아이디어스>에서 연락이 왔다. <아이디어스>는 나 같은 작가들의 수작업 작품들을 거래하는 플랫폼이다. 나도 눈여겨보던 사이트였는데, 입점을 해달라고 했다.
나, 드디어 돈 버는거니!

그간 버는 돈 없이 작품을 만들어왔다. 어쩌다 지인들이 내게 그림이나 소품을 주문해 주었는데, 몇 달에 한

번 있을까말까한 그 돈이 벌이의 전부였다. 그렇게 생긴 돈은 순식간에 사라져 0에 수렴했다. 꽤나 값비싼 취미는 규모가 커질대로 커져 있었다.

아이디어에 입점한 후, 나는 여러 소품을 만들어 팔기 시작했다.

작은 스마트톡(핸드폰 거치대)부터 온갖 소품을 만들었는데, 구입하는 사람이 있는게 신기했다. 문제는 수작업에 걸리는 시간이었다. 스마트톡 하나를 만들래도 겹겹이 쌓아 하루씩 굳히다 보면 꼬박 5일이 걸렸다. 이 그립톡 하나의 가격은 1만3천원.
하루에 수십개씩 팔린다고 하면 수지타산이 맞을 지도 모르겠지만 어쩌다 하나씩 주문이 들어왔다. 돈을 벌자고 하는 일이라면, 망했다고 볼 수 있었다.

휴대폰 케이스도 만들기 시작했다. 주문이 들어오면 맞는 기종의 투명 케이스를 주문한다. 투명 케이스가 도착하면 옆면에 레진이 흐를 것을 대비해 마스킹테이프로 꼼꼼이 감싼다. 그리고 윗면에 바다의 파도 무늬를 레진으로 만든다. 자연스러운 파도가 되려면 옆면으로 자연스레 흐를 수 있도록 많은 양의 레진을 부어야 한다. 40분쯤 지나 이제 레진이 흐르는 양이 잦아들면, 마스킹테이프를 떼어내고 옆면의 흐르는 레진을 수십

번 닦아내어 깨끗이 한다. 빨리 떼지 않으면 마감이 어색해진다. 한 번 작업하려면 꼬박 한시간 반을 들이는데, 한 번으로 끝나지 않는다. 이틀이 지난 후 두 번째 작업을 할 수 있다. 이번에도 마스킹 테이프로 옆면을 다시 감싸고 넉넉한 양의 레진을 부어 파도를 만든다. 수평이 틀어지면 레진이 한 쪽으로 흐를 수 있으니 주의한다. 두 번째 파도가 첫 번째 파도를 넘어서지 않도록 양 조절을 잘 해야 한다.
이렇게 장장 몇시간씩, 총 4일이 걸려 작품이 완성된다.
이 작품의 가격은 3만원.

다른 사람들이 책정한 케이스 가격선이 어느 정도인지 보이기 때문에, 내 작품 가격을 도드라지게 비싸게 책정하기엔 부담이 있다.
효율이라고는 찾아볼 수 없는 작업 형태이다.
그래도, 돈을 지불하고 '작품'을 사는 사람들에게, 가장 좋은 재료로 가장 멋지게 만들어 대접하듯 보내드리고 싶었다.

이렇게 주문 작품을 만드는 동안, 내 작품들은 올스톱 된다.
아무리 작은걸 만들어도 테이블의 일부를 사용해야 하니, 온전히 테이블 하나를 다 사용하는 큰 작업물들은 자신의 자리를 내어줄 수 밖에.

그사이, 후기가 쌓여갔다. 점점 주문이 늘어나던 때, 고민이 생겼다. 새로울 것 하나 없이 소비자가 원하는 딱 그대로를 만들어야 한다는 것이 얼마나 재미 없는 일이던지.

마음껏 표현하는 데만 시간을 사용하기도 모자란데, 지겨운 마음으로 작품을 만들 수는 없는 노릇이었다.
이런 과정을 겪으며 나는 또 나를 알게 되었다. 짜여진 대로 잘 계획하며 사는 삶이 지루하고 답답하게 느껴지는 사람이구나. 그날 기분대로 나를 마음껏 그림으로 펴내는 것이 가장 나답다고 느끼는구나.

주문창을 닫았다.
다시 날개를 펼 시간이었다.

아이디어스 / 플로우지니 작품

제 3 장
개인전

제1화 공간의 확장

이사 와서 방 한 칸을 오롯이 작업실로 쓸 수 있게 되었을 때 행복했다. 언제든 문을 열고 들어가면 육아의 세계에서 작업의 세계로 옮겨갈 수 있었다. 집안이었지만 나만의 공간이며 도피처였다. 매일 밤 그곳으로 향했다.

작업방이 생기면서 책상 여러 개를 놓고 한 번에 많은 작품을 늘어놓고 만들 수 있었다. 얼마나 기다렸던 순간인지. 그때는 몰랐는데 작품 개수는 책상 개수에, 작품의 크기는 책상 크기에 비례했다. 그곳이 내 작품의 우주였다.

작업방이 생기며 우주가 확장되었다. 큰 이젤을 하나 들여놓았다. 손바닥만 한 크기의 그림을 그리다가 처음으로 책상 크기를 넘긴 그림을 그릴 수 있었다.

돌아보면, 작품 크기를 늘릴 때마다 얼마나 겁이 나던지. 판넬과 캔버스를 사놓고도 쉽사리 손을 대지 못하고 몇 달씩 벽에 세워놓았더랬다. 가로 20센티 그림을 그리다가 40센티로 늘릴 때, 두려움을 넘어서는 데 큰 용기가 필요했다.

돈 공부를 하고 돈에 관련된 나의 내면을 살펴볼 때 돈그릇이 찢어진다고 한다. 변화의 순간, 찢어지는 고통을 겪고 나서야 그릇이 커진다는 것이다. 그림도 같은 경로를 지나가는 듯하다. 내가 감당할 수 있는 그림의 크기를 키울 때마다 겁을 먹고 뒷걸음질 치고 싶었다. 결심하고 마주하고 결국 그려낼 때마다 그림이 성장했다. 누가 시킨 것도 아닌데 어째서 나는 그 고통과 두려움을 마주했던 것일까.

친구가 교습소를 연다고 해서, 그 친구가 잘 되기를 바라는 마음으로 열기구 그림 작품을 만들었다. 땅에서 시작했지만 하늘로 높이 날아가라는 의미를 담았다. 처음 만드는 사이즈였다. 잉크로 배경을 만들고 콜라주 작업으로 작은 조각 하나하나를 붙인 후 몇 번의 레진 작업을 하였다. 사이즈가 큰 만큼 레진을 많이 부어, 편평하게 만드는 데에 많은 시간을 들였다. 작품 중간에 보물 찾기처럼 친구의 학원 이름도 넣었는데, 나중에 그 친구에게 얘기해 주니 기뻐했다. 기분 좋은 도전이었다.

도전하는 마음으로 작품의 크기를 늘여 나가던 어느날, 나는 내 우주가 너무 좁다고 느꼈다. 여기서 탈출하고 싶었다. 넓은 곳에 가고 싶다는 마음이 들자마자, 우주는 내게 적합한 환경을 찾기 시작했다. 별다른 목적도 없이 코로나 시기에 나라에서 만든 소상공인 대출을 받아 놓은 것이, 집 근처 상가 한 칸의 보증금 액수인 것을 알았을 때, 겁도 없이 그곳을 덜컥 계약하고 통장에 받아놨던 돈을 모두 밀어 넣었다.
지금 되돌아보아도 무모하다. 벌이도 없이 취미생활하는 사람이, 큰 그림을 그리고 싶다고 덜컥 15평짜리 낡아빠진 상가를 덜컥 계약해 버린 것이.
공간의 확장은 나의 그림 그릇을 키웠다. 그림의 크기와 작업량은 이전과 비교할 수 없을 만큼 확장되었다. 도전은 언제나 두려움을 동반했다. 그리고 결국은 그만큼 큰 선물을 받았다.

얼마 전, 친구의 교습소에 들렀다. 한참만이었다.
칠판 가까이의 기둥에 내가 선물한 그림이 잘 보이는

방향으로 걸려 있었다.
세상에, 이렇게 작았네.
만들 때 그렇게 크게 느껴졌던 작품이, 요만했구나.

5년간 내게 무슨 일이 일어난 걸까.
작은 테이블에서 시작된 그림은 5년 만에 이 작업실 공간마저 모자랄 정도로 커지고 많아졌다. 이 공간이 점점 좁아지고 있다. 작년 말부터 천고가 높은 창고가 나온 곳이 있을까 자꾸 부동산 사이트를 들락거리게 된다. 머지않은 미래에, 나의 그림 세계가 공간과 함께 또 한 번 커질 것에 미리 감사한다.

제2화 개인전

친분이 있는 작가님들 전시회에 열심히 다녔다.
작품의 퀄리티에 자신이 있다고 한들, 과연 어떤 갤러리가 나 같은 초보 작가에게 문을 열어 줄 것인가. 갤러리와 어떻게 연락하고 어떻게 전시를 열 수 있는지 전혀 감이 없었기 때문에 더더욱, 지인들이 전시를 한다고 하면 가서 보았다. 나도 언젠가 이들처럼 나의 작품으로 공간을 채우고, 많은 사람들에게 보여 주고 싶었다. 부러운 마음으로 전시장을 둘러보며 이 정도 규모의 전시장이면 몇 점 정도의 작품이 들어가는지 혼자 가늠해 보곤 했다. 동네방네 나도 전시를 하고 싶다고 말했다. 그것은 나를 향한 선언이기도 했다.

어느 날 혜영언니로부터 연락을 받았다.
진희 씨, 저 아는 분이 갤러리를 열었는데 전시할래요? 나도 거기서 저번에 한번 했는데, 뭐... 처음 해보는 거니까, 가격이 부담이 없어요. 진희 씨 전시하고 싶으면 한 번 해볼래요?
그 말이 끝나기도 전에 대답했다.
저, 하고 싶어요 언니.
이렇게 첫 전시가 일사천리로 잡혔다.
좁은 내 방바닥 한가득 30호 두 점을 이어 60호짜리 작품을 막 완성했을 즈음이었다.

답사 없이 작품을 설치하러 간 전시장의 첫인상은 강렬했다. 그림 설치하는 날 도착해 보니, 전시장은 아파트 안에 있는 상가였다. 1층 통창으로 내 그림이 들여다보이는 구조일 거라 생각한 상가 1층에는 편의점이 있었고, 계단을 올라가 세탁소가 있는 복도의 옷걸이를 헤치고 들어가면 안쪽에 갤러리가 자리해 있었다. 미리 봤다면 전시를 포기했을지도 모르겠다. 이런 자리에서 그림을 판매하며 공간을 유지하기 힘들었을 관장님은 커피도 팔고 스파게티도 팔고 안쪽 자리에서 그림 수업도 하고 있었다. 이 모호한 경계의 공간에서, 2021년 5월, 나의 첫 개인전이 열렸다.

돌아보면, 이곳에서 전시를 처음으로 한 것은 내게 행운이었다. 전시에 필요한 것은 그림만이 아니었다. 준비물이 뭔지, 어떤 절차들이 필요한지 전혀 모르는 나에게, 관장님은 하나하나 자신이 갖고 있는 샘플들과 재료들을 내놓으며 내가 해야 할 것들을 알려 주셨다. 모두 빈칸으로 이루어진 캡션을 받아 내 그림의 제목과 사이즈, 재료, 가격을 하나하나 써넣기 시작했다.

이 즈음 지인들이 내 그림을 몇 개씩 사(주)기 시작하는 시점이었는데, 나조차 내 그림에 어떻게 가격을 매겨야 할지 모르는 상태였기 때문에 늘 고민이었다. 지인들이 나를 응원하기 위해 작품을 사주는 것을 알고 있었다. 그림치고 비싼 건 아니라고 말할 수도 있겠으나, 나라면 이 그림을 이 돈을 내고 살 수 있는가 생각하면 숙연해지곤 했다. 필수품이 아닌 것에 이런 돈을 쓰고 내 작품을 구입해 줄 때마다 믿기지 않는 기분이었다. 그 응원이, 그림을 계속 그리며 앞으로 나갈 힘이 되었더랬다.

사실 개인전을 열면서 그림을 몇 점 팔 수 있을까, 같은 기대는 아예 접어 놓고 시작했다. 커피 사 먹듯 낼 수 있는 돈이 아니었다. 이것은 이제까지 꾸준히 작품을 만든 나 자신을 위한 선물이었다. 작품이 조명 아래 주인공으로 서보도록 하고 싶은 마음이 컸다. 전시회를 열며 붙인 가격표는, 팔리지 않을지언정 공식적인 가격이 되었다.

지인들이 대전, 부천, 광명, 양주, 서울, 인천, 김포 등 각지에서 보러 와주시고 응원해 주셨다. 커피를 파는 곳이라 대접할 수 있어 얼마나 감사하던지. 큰 테이블에 앉아 오랜만에 지인들과 만나 이야기를 나누었다.

이 즈음, 여섯 살이던 우리 둘째 건강에 문제가 생겨 대학 병원에서 온갖 검사를 받기 시작했더랬다. 병원에 앉아 아이가 가여워 눈물이 났다. 전시 시작하기 전날까지 밤새 작품을 만들고 낮에는 아이와 대학병원을 가서 몇 시간씩 검사를 받고, 부랴부랴 전시장을 방문하는 지인들을 맞으러 일산에 갔다.
세상에서 제일 절망적인 순간, 세상에서 가장 기다리던 기쁜 일이 일어나고 있다는 사실이 비현실적으로 느껴졌다. 운전하면서 엄마와 통화를 했다. 엄마. 너무 슬픈데, 슬플 틈이 없어.
첫 전시를 하는 2주간, 혼자 있을 때는 하염없이 눈물이 났고, 또 지인들을 만날 때마다 잠시 슬픔을 잊고 반가움과 기쁨에 웃었다.
첫 전시에서 놀라운 일들이 일어났다. 일산 끝자락까지 와주신 것만으로도 감사한데, 지인들이 많은 작품을 구입해 주셨다. 그리고 놀랍게도, 나 없는 사이 모르는 분이 가격표대로 값을 지불하고 내 그림을 사주셨다고 했다. 계속 이 길을 갈 수 있겠구나, 싶어 맘이 찡했다.
이 2주간의 전시에서, 무려 여섯 점의 작품이 판매되었다.

이후, 아이가 유치원 생활을 하며 여러 치료 수업을 받기 시작했다.
엄마로서도, 작가로서도 새로운 삶이 시작되었다.

Happy Hour, 72.7×60.6cm, 판넬 위 흙과 아크릴,레진, 2023

제3화 두번째 개인전

첫 번째 전시를 하는 동안 많은 분들이 내게 두 번째 전시를 할만한 곳을 알려 주셨다. 몇 군데 연이 닿아 다음 일정을 잡았지만 내 사정으로, 또는 그 곳 사정으로 일정이 어그러지곤 했다.
그러거나 말거나, 어디서 하게 될지 정해지지 않은 채 두 번째 전시는 준비되고 있었다.

두 번째 전시에서는 아크릴화를 조금 더 발전시켜 레진과 접목하고 싶었다. 지금까지 외국 작가들의 레진 작품들을 보며 레진을 만들고 작품 퀄리티를 높이는데 집중했다면, 이제 그들과 비교할만한 것 말고, 완전히 다른 나만의 작품을 만들고 싶었다.

아크릴화와 레진을 접목하면 얼마나 예쁠까. 나조차 할 줄 모르지만, 상상하고 있으니 언젠가 만들어지겠지.

아크릴화를 그리기 시작했다. 이런 저런 재료를 사서 시도해 보는데, 아아아아 아크릴화는 쉽지 않았다. 무엇보다, 물을 잔뜩 써서 여러번 겹쳐 올리며 그림자를 만들어가는 수채화와 달리, 불투명한 이 물감으로 어떻게 그라데이션을 하는 건지 당췌 알 수가 없었다.

그리고 엎고 그리고 엎고를 반복하다 어느날, 붓으로 그림 위를 마구 문지르고 있는데, 어어어어 이거...되나? 뭔가 내가 하고 싶은 모양새와 비스무리하게 그라데이션이 되기 시작했다.
우연의 일치로 끝나면 안되기에, 이 유레카 기법으로 이런 저런 그림에 손을 댔다. 오오! 된다!

(어쩌면 나한테만)신기한 방법으로 그라데이션을 할 줄 알게 된 후, 내가 그릴 수 있는 범위가 훨씬 넓어졌다. 거기에 레진을 얹으니, 세상에서 본 적 없는 작품이 되었다.
아무도 없는 작업실에 혼자 덩그러니 앉아 그림을 그

리며, 여러번 뛸 듯이 기뻤다. 이 기분이 나를 계속 그리게 했다.

첫 전시 후 해를 넘겨 2022년 초, 1년 만에 완전히 새로운 그림으로 두 번째 개인전을 열었다. 이번 전시장도 혜영 언니의 연결이 있었다. (언니, 정말 감사합니다.) 1년의 시간동안 내 그림에 많은 변화가 있었고, 이번 전시에서 그 색깔을 통일시켜 발표할 수 있음에 기뻤다.

그동안 세워놓고 겁내던 100호 작품을, 이 전시를 앞두고 처음 완성했다. 그림의 스타일 뿐 아니라, 크기에 대한 한계도 뛰어 넘은 것은 내게 큰 의미가 있었다.
무려 한달간 전시가 열렸다. 이번에도 많은 작품이 판매되었다. 지인들이 많은 작품을 구매하며 나를 응원해주었다. 이 이후, 얼마나 많은 일이 순식간에 벌어졌는지, 상상도 안될 사건들이 기다리고 있었다.

온전한 휴식, 32×32cm,판넬 위 아크릴과 레진, 2022

제4화 압축된 시간

3월의 개인전을 하는 중간에 다음 전시가 잡힌 것은 미란 언니의 소개 덕분이었다. 처음 화실에서 만난 인연의 언니는 지인에게 부탁까지 하며 내 자리를 만들어 주었다.
나야, 내 작품을 많이 보여줄 수만 있다면 어디라도 갈 태세였고, 감사하게도 작품 사진을 보낸 후 전시를 할 수 있게 되었다. 그곳은 시니어스 타워였다.

말로만 듣던 실버타운. 코로나로 제한된 분들만 볼 수 있다는 것이 아쉬웠지만 이런 기회가 아니고서야 나도 들어올 수 없을 곳이었다. 세상에, 복도 끝에서부터 연한 베이지색의 대리석으로 연결된 환한 입구 정면으로, 고급스러운 전시장이 있었다. 조용한 클래식 음악이 흐르는 넓은 홀 중간중간에 놓인 테이블에 입주민 어르신들이 띄엄띄엄 앉아 책을 읽거나 신문을 보고 계셨다. 높은 천고의 통유리창 안쪽으로 햇빛이 밝게 비쳐 들고 있었고 직원분이 나와서 나를 맞아 주셨다.

이번 전시도 설치하는 날 아침까지 밤을 새 신작 한 점을 더 완성했다. 좋은 곳에 초대해 주신 만큼, 새로운 작품으로 보답하고 싶었다. 그렇게 완성된 두 번째 100호 그림도 물이 있는 풍경이었다. 수영장에 몸을 누이고 둥둥 떠있고 싶은 마음을 담았다.

널찍하고 아름다운 공간에 내 작품이 모두 걸리고 '초청전'이라 적힌 현수막을 보자, 감격스러운 마음이 들었다. 세상에, 초청전이라니. 불과 얼마 전까지도 어디서라도 전시 한 번 할 수 있는 것이 꿈이었건만.

초대해주신 팀장님은 내 그림을 좋아해 주셨다. 이 곳에서 전시한 한 달 동안, 다른 지점 관계자 분이 보시고 또 연락을 주셨다. 내 그림은 그 해에만 네 번의 다른 지점 전시로 이어졌다.
그러는 동안, 새로운 전시도 계속 잡히고 있었다. 이런 행보를 보던 조숙연 작가님이 같이 전시를 해보겠냐며 아트페어를 제안해 주셨다. 아트페어라니! 이름만 듣던 페어에 참여를 하게 된다는 사실만으로도 춤을 추고 싶었다. 그간 동경하던 작가님들과 같은 부스에서, 1.6미터 벽을 할당받아 그림을 걸었다.

아트페어는, 그림을 직접 보고 사려는 사람들과 갤러리가 단 3~4일간 집결하는 곳이다. 짧은 기간, 수많은 사람들이 작품을 보러 오고 많은 작품이 거래된다. 팔리는 걸 기대하지 않았다. 이런 신인 작가가, 이런 색의 작품을 만든다는 것을 미약하나마 알리고 싶었다. 그림에 관심있어하는 사람들에게 내 작품을 열심히 설명했다.
페어 마지막날 문 닫기 두세시간 전, 작은 작품이 하나 팔리더니 연이어 몇 개가 우루루 팔렸다. 소품 다섯 점을 판매하며 페어가 마무리되었다.

그 뿐이 아니었다. 쉬지 않고 연말을 넘어 다음 해까지 초대전으로 전시 일정이 채워졌다. 이게 무슨 일이람. 시니어스타워 전시를 시작한 이후에 뭔가 무드가 바뀌었다. 꿈꾸던 것들이 갑자기 마구 쏟아지기 시작한 것이다.

이미 전시 일정이 다 채워져 있는데, 또 전시를 문의하는 연락이 왔고, 나는 두말하지 않고 모두 하겠다고 했다. 몇 달 밤을 꼬박 세우며 작품을 만들었다. 전시장의 규모가 점점 커졌다. 놀랍게도 전시할 때마다 그 공간에 꼭 맞는 개수와 사이즈의 작품이 채워졌다.

이 놀라운 순간들을 맞이하며, 압축되었던 몇 년의 시간이 발화되고 있다고 느꼈다. 계속 새로운 만남이 이루어지고, 만난 사람 모두가 작업에 도움을 주고자 손을 보태며 축복하는 것이 느껴졌다. 기쁜 마음으로 거대한 우주의 흐름에 나를 맡겨버렸다.

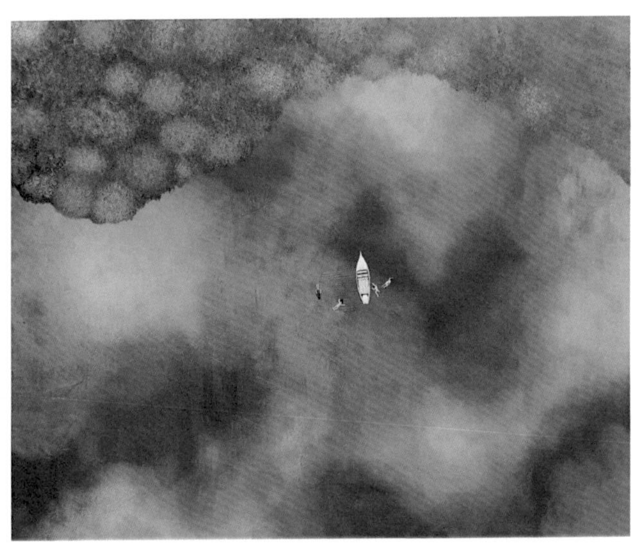

floating on the water, 15F, 판넬 위 아크릴과 레진, 2022

제5화 AUGUST

6월 말부터 작업실에서 밤샘 작업을 시작했다. 8월에만 굵직한 전시가 네 개나 잡혀 있었다.

열 살 아들과 일곱살 딸은 밤에 내가 집을 나서 작업실로 갈 때마다 물었다. 엄마, 엄마랑 자고 싶은데... 언제 올거야?

작업실 바닥에 50호 작품이 몇 개나 누워 레진이 작업되고 있었고, 벽으로는 아크릴화 작업이 한창이었다.
7월을 어떻게 보냈는지 모르겠다. 아이들은 엄마 없이

아빠와 잠을 잤다. 아들은 매일 밤마다 도돌이표처럼 " 엄마랑 자고 싶은데..." 라며 말끝을 흐렸고 아침에 학교 보낼 시간이 되어 집에 들어오면, 세상 모르고 곤하게 자는 아이들 얼굴을 보고 있을 시간도 없이 깨워 학교에 보내고 기절하듯 잠이 들었다.

밤낮이 바뀌고 엄마와 아내라는 이름도 내려놓고 작품을 만들었다. 만드는 동안은 시간이 가는 줄도, 피곤한 줄도 모르고 했다. 전시 날짜는 다가오고 압박감도 조여오고 시간은 흘렀다. 어쨌든 이 모든 것을 잘 해낼 수 있으리라는 것을 안다,는 마음으로 하루하루를 보냈다.
워라밸도 없고 가정과 일의 균형도 없었다.
그림, 그림, 그림, 그림, 그림만 미친 사람처럼 그려댔다.

남편이라고 불만이 없었겠는가. 나 간다~ 하면서 내가 신발을 신을 때면 남편은 대답 없이 한숨을 쉬었다. 그는 나를 알았기에 말리지 못했고, 그가 표현하는 최대한의 불만이 그쯤이었다. 남편이 아이들을 챙겨 재우고 집을 둘러보면, 가관이었을 것이다. 청소와 빨래와 설거지 따위, 개나 줘버리고 부인은 또 밤샘 작업을 하겠다고 나가버리는 것이다. 언제까지 이걸 참아야할까, 남편은 차마 말로 꺼내지는 못하고 속을 썩였으리라.

이런 무언의 항의에 눈을 질끈 감고, 그냥 모른척했다. 가정에서의 내 역할을 너무 못하고 있다는 것에 대한 죄책감도, 아이를 잘 챙기지 못하고 헤롱대며 지내는 낮 시간도, 에라 모르겠다 하며 그냥 눈을 질끈 감아버렸다.

8월 첫 전시는 수원 만석 전시관에서 있었다.
단체전이라지만 부스를 신청했더니, 7미터짜리 벽 세개, 총 21미터가 내 공간으로 주어졌다. 불과 몇달전 치룬 개인전보다 더 큰 규모였다.

그 몇 달 사이, 나는 아크릴, 레진에 흙 작업도 접목하기 시작했다. 흙 특유의 따스한 느낌 위에 반짝임이 좋았다. 크고 밝은 공간에 대형 신작들을 걸고, 해냈다는 안도감과 뿌듯함을 느꼈다.

만석 전시관에서 철수하는 날, 바로 이어 인사동에 그림을 설치했다. 아는 작가님들과의 4인전이었다. 이곳을 예약할 때에야, 인사동의 일주일 전시장 대여료가 몇백만원에 달한다는 것을 알게 되었다. 그마저도 성수기는 이미 이듬해까지 예약이 끝나 있었다. 손 빠른 조숙연 선생님이 잽싸게 낚아챈 전시장을 넷이 나눈 덕에 나도 인사동에 입성했다. 숙연 선생님은 '돈만 있으면 다 할 수 있죠'라고 말했지만, 내 마음은 일렁였다. 설치하는 날, 전시장 중간을 빙빙 돌며 말했다. '인사동에 입성하다니, 꿈 같아요.'

큰 돈을 내고 참여하는 전시에서, 작은 작품들을 걸어 판매를 목적으로 할 것인가, 큰 작품을 걸어 '나'라는 작가를 알릴 것인가. 후자를 선택했다. 여기 '플로우지니'작가가 있다고 알리고 싶었다. 관람객들이 내 그림 앞에 머물러주길 바라는 마음으로 전시장을 지켰다.
이 노력들이 쌓여 은행예금처럼 저축되어 있다가 어느 날, 빵! 터지며 판매가 시작되는게 아닐까, 하는 기분좋은 상상을 하면서.

전시 마지막날, 남편과 아이들에게 '인.사.동'에서 전시 중인 내 그림을 보여주고 싶었다. 아이는 꼬박 두달째 엄마랑 자지 못해 속이 상해 있었다. 남편 속도 속이 아니었을 것이다.
"여기서부터 여기까지 엄마 그림이야." 하고 말했더니 아이가 고개를 들어 그림을 바라보고 잠시 후 말했다.
"밤 세울 만 했네."
아이는 그 후부터, 내가 작업실로 출근하는 밤,
언제 오냐고, 같이 자자고 조르지 않았다.

만석전시관, 2022

갤러리 이즈, 2022

제6화 부익부빈익빈

성동문화재단에서는, 내 그림 운송을 하려는데 그날 어디로 작품을 가지러 가면 되냐고 물었다. 이게 무슨 뜻인지 이해하느라 뇌가 잠시 멈췄다. 운송 기사를 보내준다는 것이었다. 내 돈을 내면서 작품을 운송하는 것이 이제까지 당연한 일이었기 때문에, 이 말을 이해하는 데까지는 시간이 걸렸다.

전시장도 내 돈을 내고, 운송도 내가 직접 해왔다. 규모가 작은 전시장은 내가 직접 설치를 하기도 했지만, 작품이 커지고 전시장도 규모를 갖추기 시작하자, 대관

료도 늘었을 뿐 아니라 설치도 사람을 쓰지 않고는 불가능해졌다. 그러고 보면 처음부터 규모 있는 곳에서 잘하려 했다면 오히려 여기까지 오지 못했을 것 같다. 한 번에 대여비 2~300만 원에 운송비와 설치비, 철수하는 금액 수십만원까지. 시작부터 멋있었겠지만 두 번째 전시를 할 수 있었을까.

어쨌든, 작품의 퀄리티와 양이 높아질수록 재료비는 차치하고라도 전시 비용을 감당하기 힘들어지고 있었다. 그런데 운송, 설치뿐 아니라, 전시가 끝나고 싹 포장해서 작업실로 배송까지 해 주셨다. 그뿐 아니라, 전시장에 큐레이터 선생님이 상주하며 관람객들에게 내 작품을 하나하나 설명해 주시기까지.
꿈같은 전시였다.

이런 호사를 누리며 전시를 한 후, 더욱 놀라운 일들이 생겼다.
초대 개인전이 이어졌고, 운송과 설치 기사가 자동적으로 제공되었다. 거의 모든 전시가 무료로 진행되기 시작했다.

빈익빈 부익부.
없을 때는 모두 내 돈으로 해야 했고, 전시가 많아지자 서로 스케줄을 내게 맞추며 작품을 모셔가기 시작했다.

전시 장소는 점점 근사해지고, 지불할 비용은 점점 줄고 있었다.

생활지음 전시장, 2022

제7화 아트페어

내가 살고 있는 성동구의 한 예술 교육 단체에서, 성수동에 내 그림을 전시하고 수업도 할 수 있는 기회를 주신 적이 있다. 성수동이 핫다다지만, 이 거리는 IT기업이 많아 일부러 즐기러 오는 사람이 그렇게 많지는 않다고 했다. 그럼에도, 수천명의 직장인들이 점심시간과 퇴근시간에 쏟아져 나오기에, 홍보 효과를 기대해 볼 수 있지 않을까 조심스레 기대해 본다고 했다.

점심시간에도 퇴근 시간에도, 정말 많은 사람들이 쏟아져 나왔다. 지하철 역 앞 전시 공간에서 통유리창을 통해 밖을 보고 있던 나는, 신기한 장면을 볼 수 있었다. 그들이 내 그림을 곁눈질로 보며 지나간다는 사실.
천천히 보셔도 되고, 그림을 음미하셔도 되는데, 궁금한 것을 물어보고 이 그림이 마음에 든다고 말씀해 주시는 것만으로도 작가에게 큰 힘이 되는데, 저 멀리서부터 눈길을 주면서 왔으면서도 막상 그림 앞에서는 최대한의 곁눈질로 그림을 스치며 빠른 걸음으로 지나치는 것이었다.
보고는 싶은데 마주하기엔 부담스러운 미술세계. 작가가 되기 전의 내 모양새를, 거기서 마주하고 있었다. 어쩌다 한 번씩 그림 앞에 서는 사람들이 있었는데, 유심히 보시기에 다가가 설명해 드리려고 하면, 뒷걸음질로 빠르게 없어지곤 했다.

이 때 여실히 느꼈다. 이래서 사람들이 아트페어에 큰 돈을 내고 참여하는구나. 혼자 만들어 나혼자 보려고 작품을 만드는 것은 아니다. 누군가가 내 작품을 봐주길, 작품으로 소통하길 바라는 마음으로 작업한다. 그러니, 사람들이 가장 많이 보러 오는 곳으로 내가 들어가는 것이 가장 빠르고 좋은 방법인 것이다.

아트페어는, 그림을 보고자 하는 사람이 굳이 시간을 들여 오는 곳이다. 그러니, 늘 그림 앞에 사람들이 서 있었다. 레진으로 뒤덮인 큐브 형태의 그림 앞에서 고개를 이리저리 돌려가며 한참동안 내 그림을 신기하게 보았다. 그 뒷모습을 보는 것이 좋았다. 이런 저런 설명을 할 수 있는 만남들이 좋았다.

스무평 정도의 공간에 내 작품을 가득 걸던 개인전과는 달리, 아트페어는 고작 2미터 내외의 벽을 사용할 수 있고 기간도 3~4일로 매우 짧다. 이 짧은 기간에 최대한 많은 작품을 테트리스처럼 넣으면서도 균형감 있는 배치를 해야 한다. 자리에 맞게 작품을 골라 넣는 전략이 필요하다.

100만원 전후의 부담스런 참가비를 1년에 몇 번이나 내며 아트페어에 나가려니 가랑이가 찢어지는 것 같았다. 겨우 몇 명의 수강생을 가르쳐 작업실 월세 내고 재료 사기도 벅찬데 아트페어가 있을 때마다 허리가 휘는 느낌이었다. 그럼에도, 이 곳이 아니면 이렇게 단기간에 내 그림 앞에 사람들을 세울 수 없다.

아트페어에 여러번 참가하며, 많은 갤러리 관계자분들과 작가님들을 알게 되었다. 그 곳에서 만난 몇몇 갤러리 관계자분들께서 다음 전시 제안을 해주셨다.
갤러리에서 먼저 제안을 해주셨다는 것은 큰 의미가 있었다. 내 그림에서 시장성을 보았다는 뜻일테니까. 내 그림이 내 눈에만 예쁜 것으로 끝나지 않고, 전문가 눈으로 보았을 때에도 같이 할만큼 괜찮다,는 뜻으로 받아들여져 기뻤다.

미대 졸업생이 아니어도 데뷔한 지 오래된 것이 아니어도 갤러리가 주관하는 미술시장에 발을 들일 수 있다는 것이 감격스러웠다.

그리고 두렵기도 했다.
앞으로 너무 큰 변화가 있을 것 같아, 롤러코스터 손잡이를 꽉 움켜쥐어야 할 것 같았다.

코리아 아트쇼, 2022

제8화 롤러코스터

갤러리와 함께 한 아트페어는 단기간 많은 것을 경험할 수 있는 장이었다. 많은 갤러리와 일해본 것은 아니지만, 각각 갤러리마다 일하는 방식이 많이 달랐고 작품을 대하는 태도도 달랐다.

한 갤러리와의 만남은 그 중에서도 강렬했다. 함께 하자는 말이 나오고 8개월쯤 지나, 우리는 처음으로 아트페어를 함께 하게 되었다. 아트페어가 있기 6개월 전부터 작가가 자라오며 가진 가치관, 미술에 대한 생각을 알고 싶어하셨는데, 페이퍼를 제출하고 다시 미팅을 하러 갔을 때, 그 페이퍼에 많은 물음표와 빨간 줄이 쳐져 있었다. 그림 판매에 앞서 나에 대해 궁금해 하시는 것이 신기하기도, 감사하기도 했다.

모든 일에 시간과 에너지가 드는 것은 당연한 일. 이 많은 작가들의 작품을 팔기 위해, 그러니까 고객들에게 잘 설명하기 위해 엄청난 밑작업을 하고 있었다. 잘 팔리는 작가 옆에 병풍으로 둘 괜찮은 신인 작가로 나를 고른 것이 아니라, 잘 팔리는 신인 작가로 만들기 위한 고군분투를 그들의 방법으로 하고 있었다.

내가 신작을 가져감으로써 '노력의 액션'을 하고 있다면, 그들은 아트페어장에서 모든 작가의 작품을 골고루 열심히 설명하는 '노력의 액션'을 하고 있었다. 7의 노력이 있어서, 3의 결과가 좋았을 것이다. 매 페어마다 이 갤러리는 그 많은 갤러리들 사이에서 눈에 띄는 성과를 보이고 있었다.

내 그림에 관심을 가진 사람들에게도 설명조차 해주지 않는 갤러리와 일해보았기에, 이런 액션은, 설사 그림이 팔리지 않는다 해도 감동으로 다가왔다.

이럴 수 있나 싶을 정도로 많은 사람들이 내 그림 앞에 섰고 설명을 들었다. 손바닥만한 작품이 팔리기 시작하더니 조금 큰 작품도 판매되었다. 벽에 구멍이 숭숭 나는 것을 보며, 이 믿을 수 없는 광경에 어찌해야 할 바를 모르고 있었다.
이렇게 4일차, 페어가 문을 닫는 시간이 되고, 페어장 여기저기서 테이프 뜯는 소리가 들려왔다. 이제 철수를 위해 작품을 포장하기 시작하는 것이다. 이번 페어는 정말 굉장했어, 하는 마음으로 나도 남은 작품을 막 정리하려던 참이었다.

끝날 때까지 끝난 것이 아니다. 한 가족이 급히 부스로 들어오셨다. 실장님은, 그 가족이 세 번째 다시 오셨다고 했다. 그 말이 채 끝나기도 전에, 그 분들이 30호 작품을 구입하셨다. 이번 페어를 위해 준비한 나의 메인 작품이었다.
이렇게 4일간 총 열 점의 작품이 판매되었다.

헐!
이걸 헐, 말고 다른 말로 설명할 수 있을까.
너무 기쁘면서 얼떨떨했다. 꿈꾸던 일을 마주했을 때의 기쁨. 몇 년간 그려온 것을 인정받았다는 느낌과, 이 결과를 낸 갤러리에 대한 경외감. 복잡한 감정이 소용돌이쳤다.
그림 그리며 그동안의 일들이 헛되지 않았음을 증명받는 듯한 기분이었다.

바로 몇 달 뒤, 이 갤러리와 호텔에서 페어가 있었다. 다른 갤러리와 호텔 페어를 했던 경험이 있어, 크게 기대하지 않았다. 호텔 조명은 침침했고 침대 위에 뉘어 놓은 그림은 추가 조명을 설치했다 해도 잘 보이지 않는 것 같았다.

이번 갤러리에서는 내 그림을 화장실로 배치해 주셨다. 유일하게 밝은 곳이 화장실이라, 명당을 주신 것이었다. 감사와 부담을 반반씩 안고 시작한 페어였다.

아니, 이게 무슨 일이야. 이번에도 메인 두 점을 포함해 다섯 점이 판매되었다.

울랄라!
문닫고 막춤을 추고 싶은 심정이었다. (하지만 40대는 문 열고 춤을 춰버리는 패기를 갖고 있다.) 옆에서 함께 한 작가님들이 축하해 주셨다.

내 그림 앞에 서서 작품을 감상해 주신 분들이 계셔서 행복했다.
기꺼이 큰 돈을 지불해주신 컬렉터 분들,
한 점을 팔기위해 수백번 수천번 내 그림을 설명해 주신 갤러리에 또 무한 감사한 마음이 들었다.
그토록 원하던 결과 앞에서, 나는 곧 차분해졌다.

원하던 곳에 도달한 느낌.

이제 그림으로 원하던 곳 끝까지 왔구나. 새로운 도전을 해야겠군, 이런 엉뚱한 생각이 들었다.

고요한 휴식, 90×90cm, 판넬 위 아크릴과 레진, 2022

제9화 결자해지

그림이 팔렸다는 소식에 가장 기뻐한 사람은 엄마였다.

엄마는 내가 그림을 그리기 시작한 것을 응원했다. 그저 취미로 시작했지만, 어릴적 아픔을 좀 털어내길 바라는 마음이 컸을 것이다. 하지만 취미라기엔 너무 많은 돈을 들이기 시작하자, 엄마는 불안해했다. 사위 볼 낯이 없어서였을텐데, 엄마는 다시 수학 과외를 하는게 어떻겠냐고 여러번 권유했었다.

난 아무 말도 안들리고 옆에 무슨 일이 생기는지 보이

지 않는 말처럼 앞으로만 달리고 있었다.

전시를 시작하자, 엄마는 놀라워했다. 여러 번의 개인전과 초대전이 지나가는 동안, 엄마는 코로나 접종을 하지 않아 서울로 한 번도 올라오지 못하고 소식만 들었더랬다.
그리고 올해 초, 처음으로 전시를 보러 왔다.
미호박물관 초대전이었다.
앞으로 강이 흐르는 탁 트인 전시장에서, 엄마는 한참 동안 그림 앞에 서 있었다.

그 후, 엄마는 나의 가장 든든한 후원자가 되었다. 아트페어를 준비하며 여러번 돈이 모자라 동동거릴 때마다, 남편에게 차마 입을 떼지 못하고 곤란해하고 있을 때마다 엄마가 내 뒤에 있었다.
말을 꺼내기도 전, 엄마가 내게 돈봉투를 쥐어주던 그날, 눈물이 많이 났다. 어릴 때는 줄 수가 없었는데 이제 여유가 있으니 언제든 필요하면 말하라며, 내가 말하기도 전에 봉투를 쥐어 주셨을 때, 내 안의 어린 아이가 나와 엉엉 울어버렸다. 오래오래 묵었던 서운함이, 엄마의 돈봉투를 받으며 흘러내리고 있었다.

힘들면 힘들수록, 남에게 받는 것도 쉽지가 않다. 작은 칭찬도 작은 배려도 절대 받지 않으려 발버둥 칠 때가 있었다. 타인이 사는 커피 한 잔이 부담스러워, 손사래를 치며 뒤로 물러나곤 했다. 감사함이 크면 나중에 갚을 걱정이 앞섰더랬다.

마흔이 넘어 엄마에게 손 벌리는게 창피하지 않은 내가 낯설면서 좋다. 엄마와 나는 완전 별개야, 하면서 각자의 삶을 잘 살자는 방식이 서로에게 편했다면, 지금은 엄마에게 기대어 부빌 수 있는 사이가 되었다고 느낀다.

\-

내가 잘 되면 나를 힘들게 했던 모든 일이 '덕분에'로 바뀐다.
미술을 중간에 그만두게 한 엄마 덕분에 완전히 새로운 영역을 개척하는 화가로서의 내가 되었다.
결국 문제를 풀 수 있는 것은 다른 사람이 아니라 나였다.
스스로 만족하고 충만해지자 엉킬대로 엉켰던 과거가 저절로 풀려 날아갔다.

에필로그

그림에는 치유의 능력이 있다고 했다.
TV에서 본 연예인들의 그 말이 무슨 뜻인지 알고 싶었다. 정말 그림을 그리면 내 안의 단단한 응어리들이 치유될까.

꼬박 6년의 시간동안 그림을 그렸다.
미친 사람처럼 몰입해서 작품을 만들 때, 힐링까지 생각할 겨를이 없었다. 그저 궁금한 것을 하나씩 처리하다 보니 오늘에 이르렀다.

나이가 들어 그림을 그리는 것이 무슨 의미가 있을까.

어떤 마음으로 그리는거니. 친구가 물어본 적이 있다. 자신도 하고 싶지만, 재능이 있었다고 해도 지금 와서 시작한다는 것이 과연 돈버는 일로 연결이 될까 싶어 섣불리 시작하지 못하겠다고, 자신은 못하지만 네가 하는 것을 보며 대리만족을 하고 있다고 했다.

이게 과연 일이 될지, 한참 후를 바라보았다면 이렇게 못했을 것 같다. 그냥 미치도록 재미있어서 했을 뿐.

색을 고르는 것으로 내가 단단해진다는 것을 느꼈다.
이런 저런 방법을 시도해 봄으로써, 실패를 '데이터'로 인식하게 되었다.
나도 모르게 이 기술들이 돈벌이가 되었고,
모든 활동에서 만난 예측하지 못한 사람들이, 그 다음 단계로 넘어갈 때마다 연결고리가 되어 주었다.

그림을 그리면서, 나는 점점 내가 되었다.

–

어린 시절, 힘들 때에도 10년 가까이 미술학원을 보내 준 엄마. 그림을 시작하자, 내 안에 이미 엄마가 모든 것을 다 넣어 주었다는 것을 알았다.

늘 응원을 아끼지 않고 뒤에 서있는 엄마, 그리고 아빠, 가족들. 고마워요. 사랑합니다.

늘 말없이 나를 지원해주는 남편,
당신 덕분에 내가 이렇게 자라고 있습니다.
감사합니다.

사랑하는 건우, 지우야.
엄마가 많이 사랑해, 고마워!

제가 커가는 모든 자리에서 징검다리가 되어 주신 임혜영 작가님, 조숙연 작가님, 전미란 작가님 외 모든 분들께 감사드립니다.

저의 컬렉터가 되어 부러 저를 지원해 주시는 이태영 작가님 외 모든 컬렉터 님들께도 감사를 전합니다.

놀라운 판매력으로 작가로서 작품으로 먹고 살 수 있다는 희망을 주신 갤러리M 관계자 분들게 깊이 감사드려요.

2023년을 마치며, 플로우지니.

플로우지니